JN093568

科学は無謬か

「コトバをもつヒト」をめぐる根源的な問い

宇田川眞人

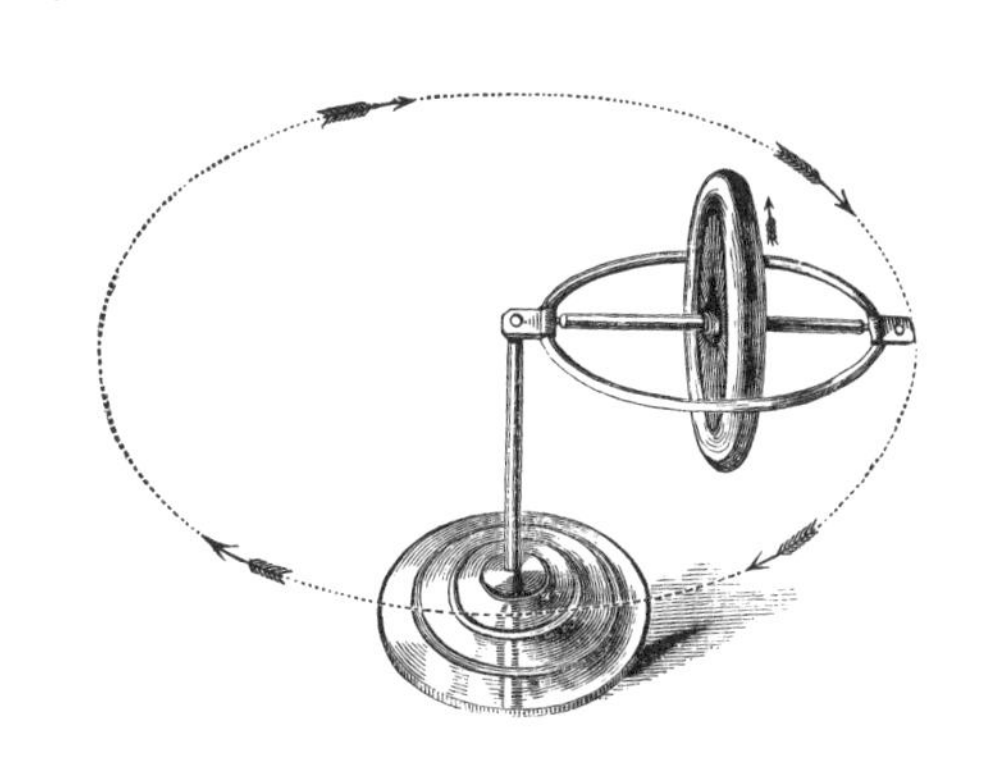

花伝社

はじめに　世界と人間にまつわる、五つの根源的な真実

世界トップクラスの学者の叡智

わたしは、一九六九年に中途採用で大手出版社のK社に入社し、二〇〇五年に定年退職した。三十六年間の編集者生活のうち、最初の七年間は少年誌の編集部で過ごし、その後、創刊したばかりの学術文庫の編集部で七年間を過ごし、さらに実用書の編集部に移って五年間単行本の編集をした。そして残りの十七年間は、学術局・辞典局などで学術書のシリーズと辞典の編集にたずさわって定年まで勤めた。

K社はもともと雑誌社からスタートした会社で、その後多量の書籍も出したが、基本的には大衆出版社だったから、学術書の編集は社の主流ではなかった。が、大人週刊誌や写真週刊誌などの切った張ったの血の出るような仕事に比べると、学術書の編集は波乱は少なく、平穏な勤め人生活を送ることができた。

そうした日々の中で、わたしは大勢の学者・大学教授と出会い、原稿を受け取って本作

りをしてきた。優れた学者・研究者に企画を提案し、引き受けてもらって執筆に伴走し、最終的に書籍に仕上げるためには、編集者にも少なからぬ読書と勉強が必要である。その間のことは、ちょうど一〇年前、『日本に碩学がいたころ　丈高く柄の大きな学問のために』という題でまとめたことがある。

いま、それらの日々を振り返ってみたとき、改めて五つの瞠目すべき学識・研究に触れたことが甦ってくる。それらは、それぞれ異なった学者や思想家による研究成果であったが、いずれも掛け値なしに「人間と世界にまつわる根源的な真実」について論究した独創的な学知・思想であったとの思いを新たにする。

「人間と世界にまつわる根源的な真実」などといえば、情報の氾濫に食傷している当世の人たちは、「なんと大げさな」、「そんな大事にそう簡単にめぐり会えるはずなどない」と冷笑するか、眉をひそめて失笑するかが関の山だろう。当然の反応である。

たしかにそれらの言説は、高度な学術的探究によってたどり着いた学知であるから、多くの人びとに知られている事柄ではないし、誰もがたやすく理解できる内容でもない。また知ったからといって、人から尊敬されるような威厳を誇れるわけではないし、経済的利得を期待できるような実利があるわけでもない。効用があるとすればせいぜいが、この五つの学知を踏まえて文明と人類の先行きに思いを馳せたとき、自らの世界観と人間観がすこし変わるのでは、という程度にすぎないかもしれない。

とはいえ、その五つの学識はいずれも、わが国と海外のトップクラスの学者が、その叡智と多年の研鑽を経て到達した高度な思索と研究の成果であることはまちがいない。にもかかわらず、これまで広く世に伝わり、大きく注目されるということはなかった。だが、その学知の意味するところを味識したとき、わたしは大きな驚きとともに深い感銘を覚え、つづけて、このような重要な真実が巷間に埋もれたままになっていることを残念に思った。ここに、人類の遥かな未来に関わりのある極めて重大な事柄が言い表わされているのに、と確信したからだ。

そして、もしそうなら、誰かが専門知識の難解な部分をわかりやすく言い換えて要約し、人びとに伝えるべきだという存念を抱くようになった。が、そう思いながらも、一介の元編集者にすぎないわたしには、無為に日を送ることを繰り返す以外にすべはなかった。

そうこうするうちに時は経ち、文字どおりの晩年に差し掛かったいま、もしそれを他人がやらないのなら、菲才ながら自分がやらなければなるまい、と思いはじめた。どうみてもわかりやすいとはいえない学知を、できるだけやさしく言い換えること。それこそ、専門家ならぬ編集者の本来の仕事ではないか、と思い至ったからである。

もはやみずからは人生の暮方の落暉(らっき)のなかにたたずんでいる身であり、いまさら予想される冷笑・失笑にひるむ柄でもない。ならば、定年後も含めると、半世紀を越える編集者生活の過程で見聞きしたせっかくの「人間と世界にまつわる根源的な真実」を、ここにまとめて書き残しておこう。そう思い定めて、この稿を起こすことにしたのである。

まえおきはそのくらいにして、本題に移ろう。

科学は無謬か――「コトバをもつヒト」をめぐる根源的な問い◆目次

2 自然は、神のはからいと人間の科学とで二重に創造されている

3 コトバが事物を存在させる、コトバがなければ世界は存在しない

4 科学＝数理的思考法には、原理的な欠陥がある

5 地球外生命が到来しないのは、高度文明は滅亡するから

1

人間は、老化すれば乗り捨てられる利己的遺伝子の乗り物である

日本の動物行動学の開拓者日高敏隆

わたしが三十六年におよんだ編集者生活のスタートを切ったのは、少年向け雑誌の編集部だった。当時その少年誌は、野球やボクシングの人気連載漫画を擁して、日の出の勢いだった。はじめは、その漫画を担当するグループに配属されたのだが、わたしは漫画編集者としてあまり有能ではなかった。それで記事班に担当替えになり、「UFO特集」や「世界の不思議99」といった少年誌の定番企画を担当していた。しかし、同じような記事の繰り返しが多く、マンネリの打破が必要だった。そこで、いつの時代も少年たちに人気のある、動物や昆虫のなぞをおもしろく解明する企画をやろうという流れになった。

動物と昆虫といえば「シートンの動物記」や「ファーブルの昆虫記」が思い浮かぶが、それでは教科書的すぎて少年誌のセンスとは違う。もっと現代的な切り口はないかと模索しているうちにわたしは、オーストリアの動物学者のコンラート・ローレンツの新しい動物学研究が注目されているのに思い当たった。

ローレンツは、動物生態学や生理学を一歩進めた新しい学問「エソロジー（動物行動学）」の開拓者として、多くの斬新な業績をあげていた。ローレンツが観察した「インプリンティング＝刷り込み」という行動は、よく知られていた。ハイイロガンなどの鳥類では、卵からかえって最初に目にした動くものを、自分の親として認識するというのだ。それが親とは似ても似つかぬおもちゃのアヒルや、ローレンツのような人間であっても、最初に目にするや、親として刷り込まれ、以後その後をついてまわる、という行動である。NHKテレビで、タンチョウヅルの親代わりになり、ヒナ鳥に飛び方まで教えた飼育係りの記録が放映され、話題になったこともあった。

ローレンツの『ソロモンの指輪』（早川書房）や『攻撃　悪の自然誌』（みすず書房）といった著作は、そのような動物の興味深い行動をわかりやすく伝えた本で、前から興味深く読んでいた。その翻訳者が日高敏隆だった。日本の動物学者たちによる『無名のものたちの世界』（思索社）という動物の生態を描いたエッセイや「ライフ自然シリーズ」などの動物・昆虫の生態を図解したグラフィックな概説書も楽しかった。

そうした啓蒙書を参考資料にしながら企画を立てると、会議にとおり連載が決まった。監修兼執筆者として、ローレンツの紹介者であり、やさしい文章で動物の行動や生態をわかりやすく伝えるエッセイを書いていた日高さんに依頼することになった。そんないきさつで、東京農工大学へ訪ねて行ったのである。

一九七三年の初夏だった。初めて東京府中の東京農工大学へ訪ねて行ったとき、日高さんは学生たちと、キャンパス内の広い農場でモンシロチョウやアゲハチョウの行動の実験の最中だった。のちに名著『チョウはなぜ飛ぶか』（岩波書店）にまとめられ、日高さんの代表作の一つとなる研究だった。

農場での実験が一段落し、日高さんが研究室にもどったところで連載のお願いをした。すると、周りにいた学生たちの、その少年誌なら面白いからやってみたいという声にも押されて、日高さんは笑いながら承諾してくれた。日高研究室の学部・大学院の学生たちが、データ集めや原稿の下書きをし、日高さんが全体を監修してくれることになった。

連載は「動物界のからくり」というタイトルで十回くらい続いた。クモのようなムシからチーターのような肉食の猛獣まで、さまざまな動物のおどろきの行動が紹介され、読者の人気ランキングの上位を占めた。

すぐに続編が決まり、こんどはテーマを昆虫にしぼろうということになった。「マガジン新昆虫記」と題して、やはり十回くらい連載した。これが、日高さんとの四十年におよぶ断続的な付き合いの始まりとなった。

一九七六年にわたしは、創刊直後の学術文庫の編集部に異動した。そのとき、日高さんが十年ほど前に出して評判のよかった『動物にとって社会とはなにか』（至誠堂）を文庫に収録させてもらうお願いをした。この本は、それまで生理学や生態学的アプローチが主だった日本の動物研究に、「動物行動学」という新しい学問手法を取り入れた斬新な著作だった。

人間はコトバと理性をもつ社会的な動物だが、野生動物は、当時はまだ、強いものが弱いものを食らい、本能のおもむくまま無秩序に無法に生存しているもののように見られていた。いわゆる「弱肉強食」の自然観である。しかし、日高さんは、動物界の中にも個体維持と種族維持、つまり餌を取る捕食行動と子孫を残す生殖行動をめぐって、「社会」と呼ぶほかない精密な相互関係や秩序があることを、興味深い具体例を示しながら科学的に描き出していた。一般読者にもわかりやすい、興味深い本だった。

日高さんは、自らチョウやアメリカシロヒトリの生殖行動やホルモンによる刺激と行動のメカニズムについて解明を進めていた。そのかたわら、海外で「動物行動学」という新しい学問が興るのと同時進行で、抜群の語学力と平明な日本語を駆使して、その成果を日本に紹介していた。

コンラート・ローレンツ、ニコ・ティンバーゲン、カール・フォン・フリッシュの三人が、ノーベル賞の医学生理学賞を受賞したのは、一九七三年のことだった。とくにローレンツの名声は高く、その代表作である『攻撃　悪の自然誌』は動物学界だけでなく、同時代の思想・文化にも大きな影響を与えていた。その日本への紹介者が日高さんだった。

攻撃・なわばり・ベトナム戦争

ローレンツの『攻撃』のテーマは、いわゆる悪としての暴力だった。暴力を克服しようとしている人間社会に対して、動物界では、肉食獣が草食獣を捕えて食べるのをはじめ、同種の動物同士でもナワバリやメスをめぐって激しく攻撃し合うのが常だ。狭い生息域の中で個体数が増え、餌が不足した異常事態のもとでは、同種の動物を襲って共食いするような残虐なことさえ起きる。

日高さんは、『動物にとって社会とはなにか』の中で、このような動物の「攻撃」という「いわゆる悪」についてのローレンツの研究と考え方を紹介した。そのポイントは、肉食獣による草食獣の捕食は残酷に見えても、草食獣を食べつくすまで攻撃し続けることはない、ということだ。そんなことをしたら、餌がなくなった肉食獣はまるごと絶滅してしまう。いっぽう草食獣にとっても、もし肉食獣がいなくなれば数が増えすぎ、餌の植物を食べつくし、やはり種全体が絶滅してしまう。

つまり、草食獣にとって肉食獣は、「恐怖の天使」という、いわく言いがたい絶妙の存在であることを、動物行動学は明らかにした。共食いという異常な事態さえ、一種の個体数の調節という合理性をもっていると考えられていた。

さらに動物行動学は、「攻撃」の応酬があるからこそ動物はなわばりを作り、広い環境いっぱいに分散することができ、餌の確保や安全な子育てができるのだと論じた。

人間社会では一般的に「悪」とされている「攻撃」が、動物界では動物社会を維持していくためにとても有効に働いていること。強者が弱者を殺しつくすことはありえず、なわばり争いでも敗者を殺すまで攻撃することはめったにないことを明らかにしていた。

日高さんは、ローレンツがさらに、「動物もある意味で道徳（モラル）をもっている」と考えていることを紹介した。動物社会の「モラルにも似た行動様式」こそローレンツが発見したものだった。たとえばオオカミや鳥のように鋭い牙やくちばしといった強力な武器をもつ動物では、なわばりやメスをめぐる争いの際、負けた相手が一定の敗北のポーズをとると、それ以上攻撃できなくなってしまうというのだ。

オオカミの場合なら、負けを認めた個体が、自分のいちばんの弱点である首筋を相手の牙の前に差し出すポーズをとる。すると、攻撃していた側は、一気にとどめをさすことができるにもかかわらず、それ以上攻撃することができなくなってしまうという。本能の中に、一種の儀式的な姿勢とそれに反応する抑制機構が組み込まれているというのだ。

また、簡単に殺して餌にできる弱小な子どもの個体について、その小さくて丸まっちくてむくむくした形態に対しては攻撃できないような行動メカニズムが、遺伝的に備わっているとされる。擬人化していえば、「かわいい」という感情に近いように思えるが、そんな心理が遺伝的に備わっているため、子どもは成獣から攻撃されないというのだった。

日高さんが『動物にとって社会とはなにか』の中で紹介したローレンツの動物行動学には、自分の欲望のために同種の個体を平気で殺すのは、動物界の中で人間だけだ、という批判が含意されているように思えた。

無法に見えた動物社会には、実は無制限の攻撃を抑制する「モラルに似た行動様式」が組み込まれている。動物界には、戦争や大量虐殺、レイプなどはありえない。それに引きかえ、人間はどうなのか。

日高さんの『動物にとって社会とはなにか』が執筆された当時は、ベトナム戦争のただ中だった。ローレンツの学説や日高さんの「動物行動学」の最先端の知見は、言外に、アメリカの戦争行為や北ベトナム爆撃に対する異議申し立てとなっていた。

『動物にとって社会とはなにか』を文庫に収録したいと提案したときには、もうベトナム戦争は終わっていた。しかし、「動物行動学」という新しい学問を紹介することには普遍的な意義があるし、この本が含んでいる問題提起はまだ古びてはいない。そう考えて収録した。結果的に読者の支持を受け、ロングセラーとなった。

ところがやがて、ここで通説とされてきた、動物は同種の個体を殺さない、子どもを攻撃しない、という見解のくつがえされるときがやってくる。その一つのきっかけとなったのは、若いひとりの日本人動物学者杉山幸丸（ゆきまる）による世界的な大発見だった。その本『子殺しの行動学　霊長類社会の維持機構をさぐる』（北斗出版）を一読して、わたしは大きな衝撃を受けた。調べると品切れになっていたので、早速杉山さんを訪ねて学術文庫に収録させていただくお願いをし、許可された。

京大サル学研究の若き学徒杉山幸丸

「動物行動学」の通説からは、弱者を攻撃し自分の利益のために同種の個体を殺すのは、人間だけではないか、という批判を読み取ることができた。無秩序に見えた動物社会には、実は無制限の攻撃を抑制する「モラルに似た行動様式」が存在している。それに引きかえ、無差別大量殺人を繰り返してきた人間こそ、野蛮で恥ずべき存在なのではないか、と。

しかし、そのような動物行動の安易な擬人化は、センチメンタルな俗説をまねく危険がないとはいえなかった。

一九八〇年に刊行された『子殺しの行動学』は、それまでの通説を真っ向から否定する恐るべき観察記録だった。動物は同種の個体を殺さないどころか、ときには幼獣を標的にして、意図的に死に至らしめる行動が明らかにされた。その世界的な大発見をしたのは、京都大学理学部の杉山幸丸というドクターコースを出たばかりの若き学徒だった。

京都大学理学部は、今西錦司・伊谷純一郎・河合雅雄といった著名な動物学者を輩出し、京都鴨川のウスバカゲロウや宮崎県都井岬の野生馬などの生態研究、なかでもニホンザルの社会構造の研究で知られていた。

京大のサル学研究が、世界の霊長類研究のパイオニアとして圧倒的な地位を築いた理由は、個体識別という方法だった。それは、大分県高崎山で有名になったように、サルの群れを餌付けし、人間には区別のつきにくいサルの、顔や体についた傷などの特徴を見分けることによって、一頭一頭に名前をつけていく。そのように個体識別することによって、群れの行動をくわしく観察することが可能になる、という入念で実証的な方法だった。

その結果わかってきたのは、ニホンザルの群れには、餌をめぐって優劣の序列があること。最強の力をもつ「ボスザル」を頂点とした順位制があり、それにもとづく強固な社会構造が形成されているということだった。

杉山さんは、この京大のサル学研究の第二世代に当たり、すでに京都嵐山や高崎山のニホンザル、あるいは餌付けをしない野生状態のニホンザルの研究を重ねていた。研究の過程で杉山さんは、餌付けをしない野生の群れでは個体間の争いも少なく、順位制やボスザルの支配力もそれほど顕著でないことを確認していた。つまり、有名になったサル社会の順位制やボスの存在というものは、どうやら、人間が餌を与えて、自然状態ではそれほど強くなかった摩擦や緊張を増大させたことによる、いわば人為的な結果という側面があるらしいことがわかってきていた。

杉山さんは、従来の餌付けによる研究の限界が見え始めていたこともあり、同時に自身の霊長類研究のキャリアの中にニホンザルとは別系統のサルの研究を取り入れたいという希望もあって、一九六一年、二六歳のときにインドにわたった。西海岸のボンベイ（現ムンバイ）から内陸に入ったデカン高原の入り口近くにダルワールという町がある。その近郊の街道沿いの森を研究場所（フィールド）に定めて、ハヌマンラングールというサルの群れの調査を開始した。

ダルワールのあたりは、ときどきトラが出没して家畜のウシや人間を襲うことのある危険な場所だった。また、歩いていると、道の前方に太短い丸太のような物体がごろんと横たわっている。踏んづけそうになるが、踏んづけたら一巻の終わりだ。それは、道の真ん中に横たわって獲物を待ち伏せている、ラッセル・バイパーという毒蛇なのだ。かまれたら助からない猛毒のもち主である。ダルワールのあたりは、トラや毒蛇ばかりかマラリアとコレラが始終流行しているような非衛生的な地域であることもわかってきた。

観察を始めた杉山さんが、ハヌマンとニホンザルとの違いで最初に気づいたのは、ハヌマンの群れが小さいことだった。ニホンザルの群れは、大人のオスとメスがそれぞれ複数頭いる「複雄複雌群（ふくゆうふくしぐん）」で、全体では一〇〇～四〇〇頭にもなる大きな群れであるのが普通だった。これに対して、ハヌマンラングールでは、一つの群れは一二、三頭からせいぜい三十頭ほどのことが多く、ほとんどの群れは大人オスが一頭だけの「単雄群」だった。その一方、オスばかり数頭から十頭ほども集まって行動する、変則的なオスだけの「複雄群」があることもわかってきた。

杉山さんは、ダルワールの街道沿いの森を行動域にしているいくつかのハヌマンの群れのうちから、毎日通るドンカラ橋の近辺でよく見かける群れを主要調査対象に定めた。二四頭からなる比較的大きな群れで、「ドンカラ群」と名づけ、くわしい調査を始めた。

二四頭の内訳は、一頭の大人オスと九頭ほどの大人メス、そしてあとは子どもたちからなる、標準的といっていい群れだった。ハヌマンの群れの多くと同じ、いわゆる「単雄群」だった。しかし、もうすぐ大人になりそうな若者オスやもう少し若い子どもオスもいるので、このままいけばやがてニホンザルと同じような「複雄群」になるのではないかと思われた。

しかし、もし「複雄群」にならず、多くのハヌマンの群れがそうであるように「単雄群」のままにとどまるとしたら、それはどのようにしてそうなるのか。群れが分裂するのか、あるいは複雄群化をはばむなんらかの機制が働くのか。それを見定めることが杉山さんのテーマとなった。

杉山さんは、「ドンカラ群」を率いるリーダーの大人オスを「ドンタロウ」と名づけ、その他のメンバーについても根気よく個体識別をし、名前をつけて、群れのくわしい観察を進めた。

大自然の中に隠れていた驚きのドラマ

本格的な観察を始めて半年ほどたった、一九六二年五月。ハヌマンの生殖が始まる季節である。このころから、主要な観察対象の「ドンカラ群」やすぐとなりの第三一群のなわばりの周辺に、七頭の大きな大人オスからなる「複雄群」が出没するようになった。

動物界では一般的に、一つのなわばりの中では、そのなわばりの持ち主が、侵入者を圧倒的な強さで撃退することが知られている。たとえばイトヨという小さなトゲウオを二匹水槽に入れると、はじめのうちは混乱に陥って右往左往するが、やがて水槽の中央付近を境に、AとBのなわばりが確定する。そのあとは、BがAのなわばり内に侵入すると、Aは猛然とBを追い回して撃退する。このときBは防戦一方だ。ところがAが深追いしてBのなわばり内に入ると、一気に立場が逆転する。こんどは、がぜんBが攻撃力を回復し、Aを一方的に追いつめ、Aは逃げまどうばかりとなる。

ハヌマンの場合も同じようで、ドンタロウが目を吊り上げ、ぎりぎり歯ぎしりしながら「ゲッゲッ」となわばりを守る威嚇の叫び声を上げて突進すると、大人オスグループは、七頭もいても、だらしなくクモの子を散らすように逃げ去ってしまう。そんなことがえんえんと繰り返されていた。

ところが、五月三一日の午後、いつものようにハヌマンの行動域を調査していた杉山さんは、「ドンカラ群」の異変に気づいた。いつものだらしのない七頭のオスグループが、突然七頭の荒くれ集団に変身したようで、「ドンカラ群」の行動域になだれこみ、激突したらしいのだ。杉山さんが気づいたとき、極度に興奮した七頭は樹の上にいて、離れたところにいるドンタロウと激しい威嚇の応酬を繰り返していた。

三頭の「ドンカラ群」の大人メスは赤ん坊を連れたまま、侵入者の七頭の近くにいた。が、七頭が大人メスに近づこうとすると、激しく追い払うのだった。七頭のなかで、杉山さんがエルノスケと名づけた一頭がもっとも攻撃的で、荒くれ集団のリーダー的存在となっていた。七頭に拉致されたかっこうの三頭のメスたちは、七頭が近づくと拒否はするものの、元の「ドンカラ群」のほうへ逃げ帰ろうとはしない。むしろ一定の距離をおきながらも、七頭集団の荒々しさにひきつけられ、離れられないでいるように見えた。

サルたちが少し落ち着いたところで、杉山さんは、散り散りになった「ドンカラ群」の近くへ行ってみた。すると、高い木の上から七頭を威嚇しているドンタロウの右足のふくらはぎに、深く長い切り傷があることがわかった。傷口からは、まだ血がしたたっていた。荒くれ集団のオスの鋭い犬歯で引き裂かれたものであることは、容易に推察できた。異変の一日目は、こうして暮れた。

翌日、杉山さんが現場に行ってみると、到着する前にすでに、激闘の第二ラウンドが行われたらしかった。荒くれ集団のリーダー、エルノスケの勢いがさらに高まりをみせていた。ドンタロウや「ドンカラ群」の若オスの姿はどこにも見えなかった。荒くれ集団についていった三頭のメス以外の「ドンカラ群」のメンバーは、広い地域に散り散りになっていた。

そして三日目、ふたたび姿を現わしたドンタロウがエルノスケに一騎打ちの決戦を挑んだ。しかし、エルノスケの突進の前に、ドンタロウはあえなく逃げだした。完全に勝負がついたのだ。

「ドンカラ群」の九頭の大人メスのうちの六頭が、エルノスケ・グループについて行動するようになっていた。杉山さんが観察してきた「ドンカラ群」はほぼ完全に崩壊し、新たな群れの再編成が始まろうとしていた。

この事態を前にして杉山さんは、のちに『子殺しの行動学』の中に、「世界中でまだ誰も記録したことのない自然のからくりを目前にして、私の興奮は収まらなかった」と記している。

四日目に、「ドンカラ群」を崩壊させた七頭のオスグループの間で、内輪もめが発生した。リーダー格のエルノスケが、昨日までは戦友だったほかの六頭を追い出しにかかったのだ。このとき、昨日追い払われたドンタロウと三頭の若オスがふたたび姿を現わし、エルノスケに再挑戦しようとした。エルノスケにとっては、前後から挟み撃ちに合うかたちだったが、エルノスケがぎりぎりと歯ぎしりして威嚇すると、もうだれも攻撃できず、エルノスケの地位はますます安定性を増していった。

五日目には、旧「ドンカラ群」にいたほとんどのメスとその子どもたちがエルノスケの「新ドンカラ群」に合流した。こうしてついに、ハヌマンラングールの「単雄群」の社会構造が形成されるメカニズムが明らかになった。杉山さんは、ここまでにわかった事実を、著書の中で以下のようにまとめている。

つまり、群れからあぶれた雄が群れの雄を襲い、群れを乗っ取り、赤ん坊以外のすべての雄を追放し、しかも雄グループの仲間同士でも排除し合って、結局一頭の最有力雄だけが再編成された群れに残り、社会構造の若返りが達成されるという筋道であった。

ここで排除された若オスたちは、新たなオスのストック、つまり次回の再編成のための起爆剤として貯蔵されることになる、という仕組みが明らかになった。

世界中でまだ誰も目撃したことのない大発見

しかし、これで一件落着かと思ったのは、尚早だった。

七日目の朝、杉山さんがフィールドに行くと、安定度を増しつつあったはずの「新ドンカラ群」の間に強い緊張感がただよっていた。群れは異様な雰囲気につつまれていた。旧ドンカラ群のメスたちは全員合流してきていたが、母親にしがみついていた赤ん坊たちが、あるものは姿を消し、あるものはオスの犬歯によって噛み裂かれたと思しき深い傷を負っているのだ。加害者は、エルノスケ以外には考えられなかった。

外敵がいなくなって安定感が増すにつれ、エルノスケはメスへの関心を高めていった。エルノスケはしきりにメスを追いまわしながら、同時に母親が抱いている赤ん坊への攻撃を繰り返した。それは、母ザルを追い回しているうちにたまたま赤ん坊を傷つけてしまったというような偶発事故ではなく、明らかに、エルノスケは赤ん坊を標的にして攻撃していた。大人オスの凶暴な牙に引き裂かれて、赤ん坊はひとたまりもなく、次々と姿を消していった。

そして、さらに信じられないことが起こった。赤ん坊が殺されるのとほとんど同時に、その母ザルが発情し、わが子を殺したエルノスケに対して求愛行動を開始するという事態が続出したのだ。

エルノスケの「子殺し」は、八月まで続いた。ついに、すべての赤ん坊が姿を消した。すると、赤ん坊を殺された母親は全員、早いものは翌日、ほとんどの母親は数日後に発情し、わが子の殺し屋であるエルノスケに対して交尾をうながすプレゼンティングの姿勢をとったのだ。そして、結ばれると、六ヵ月半後には次々と新しい赤ん坊を出産していった。

これは、世界中でまだ誰も目撃したことのない大発見だった。杉山さんは、そのいままで知られなかった動物行動の最初の観察者・記録者となったことに、学者としての喜びを感じた。しかし、学会に向けて発表するためには、なお慎重に事実を確かめなくてはならない。「子殺し」などということは、それまでの動物行動学の常識にとってはもちろん、杉山さんにとっても、想像を絶した事態だった。

ことによったら、このドンカラ群とエルノスケという個体だけに生じた特殊な例外、異常事態なのかもしれない。杉山さんは、自然界や動物の世界に起きることには、異常なことなどありえないと確信していたが、それでも念には念を入れる必要があった。

そこで杉山さんは、「実験」を決意した。ほかの群れを使って人工的に群れのリーダーを排除してみるのだ。すると、どんなことが起きるのか。ドンカラ群と同じような「子殺し」が起きるのか。起きないで、全然別の展開になるのか。

杉山さんは、実験用の群れとして、自分の観察地域の中の第二群を選んだ。研究のためとはいえ、自然界に人工的な手を加えることに強い葛藤を感じた。が、群れのリーダーを捕獲して排除してみると、やがてドンカラ群と同じことが起きた。

まず、周辺をうろついていたあぶれオスのパーティが第二群の変化に気づき、乗り込んできた。つぎに仲間割れが起き、いちばん強い一頭だけが群れのリーダーとなり、仲間を排除した。そのあと「子殺し」が始まり、すべての赤ん坊ザルが消えた。すると、子どもを殺された母親の発情が始まり、新しいリーダーと結ばれていった。

もう、疑う余地はなかった。誰も知らなかった世界的な大発見である。杉山さんは、早速この経過を英語で論文に書き、世界で最も有名な科学雑誌である『Nature』に送った。ところが、返ってきた返事は、データが不十分だから掲載できない、というものだった。納得できなかった。だがやむを得ず、同じ内容を日本語の論文にして、日本の学術雑誌に発表するかたわら、霊長類研究の国際学会で発表した。しかし、ここでも、ハヌマンは平和的なサルであって、子殺しなど考えられない。杉山の観察は、異常な状況下での異常な例にすぎない、という冷淡な反応しか返ってこなかった。

こうした反応の陰には、自分たちの愛するサルたちが、「子殺し」などというおぞましいことを行なうはずはない、そんなことは認めたくない、という欧米の研究者の常識的な感情論があったのだろうと思われた。動物は人間と違って、通常の状況下では、同種同士は殺し合うほどは攻撃し合わない、赤ん坊は攻撃しない、というローレンツ的パラダイムが行きわたっていたせいもあったのかもしれない。

ハヌマンラングールは平和的なサルだ、と主張したのは、アメリカ・カリフォルニア大学人類学研究室のフィリス・ジェイという女性研究者だった。彼女は、杉山さんと同じころ、北インドで同じハヌマンラングールの群れを観察し、その記録に基づいて論文を発表していた。

同時期に同じハヌマンの群れを観察していながら、なぜこんな正反対の結論が導き出されたのだろう。その理由を探ってみると、フィリス・ジェイは、それまでの調査地はトラが多く危険だったりしたため、最終的に村の果樹園や畑に依存して生活している観察しやすいハヌマンにフィールドを移した。そのため、調査対象として選ばれたのは、隣接した群れのいない「孤立群」だった。フィリスの調査から得られたのは、ハヌマンラングールは平和的で争いのない「複雄群」を作る霊長類だという結論だった。

そこには、京大のサル学の伝統である個体識別や、何年にもわたるきめの細かい長期継続観察という方法が欠けていた。したがって、数年に一度、それも数日間で終わる「群れ乗っ取り」と「子殺し」という事件を目撃することはできなかったのだ。

さて、はじめ世界の学会から受け入れられなかった杉山さんの研究だが、年月が経過するにつれ、世界の各地で多くの霊長類学者により、ハヌマンラングールをはじめ、カオムラサキラングールやマントヒヒ、南米・ベネズエラのアカホエザルなどでも「子殺し」が観察されるようになった。

さらに、霊長類だけでなく、これはNHKテレビで何度も放映されたので見た人も多いだろうが、タンザニア・セレンゲティの野生ライオンの群れでも、放浪オスによる群れの乗っ取りと「子殺し」が観察された。

つまり、「子殺し」は、例外的な異常現象などではなく、哺乳動物の間で広く行われている普遍的な現象だということが確認された。それにつれて、はじめは掲載拒否された杉山さんの論文もあらためて高く評価されて国際的な学会誌に掲載され、その後世界中の研究者の論文の中に一〇〇回以上にわたって引用される基本文献となっていった。

リチャード・ドーキンスの「利己的な遺伝子」理論

動物界ではなぜ、「子殺し」などという残酷で目を背けたくなるような出来事が起きるのだろうか。

このいちばん根本的な問題について、杉山さんは当初、個体数の調節、つまり増えすぎを抑えて共倒れを防ぐ、という観点から捉えていた。なわばりとメスを確保しようとする個体間の激烈な競争が、結果的に、地域全体としては、適切な個体数を維持する調節機能を果たしている、とする動物行動学の伝統的な考え方だ。

しかし、杉山さんはのちに、フィールド調査に没頭していたために気づくのが遅れたと言っているが、当時欧米の先端的な研究者の間では、「社会生物学」という考え方が勢力を拡大しつつあった。それは、動物の「包括適応度」、そして「繁殖戦略」という考え方だった。つまり、すべての動物個体は、他の個体より多くの子孫を残すために行動する、というのだ。行動が周囲の環境に適した個体や種こそが、他の個体より多くの子孫を残せる、という視点から動物の行動を捉える考え方。その代表的な考え方が、イギリスの進化生物学者リチャード・ドーキンスらによる「利己的な遺伝子」論であった。

哺乳動物のメスは、一般に赤ん坊に授乳しているうちは発情しない。したがって、子殺しをしてメスの授乳を一気に終了させることにより早急に発情させたオスは、メスの授乳が終わるまで待っているオスよりも、多くの子孫を残すことができると、社会生物学の「包括適応度」と「繁殖戦略」は考える。つまり、「子殺し」は、オスが自分の遺伝子をより多く残すための合理的な行為だと説明する。

いっぽう、メスにとっては、どうだろうか。せっかく半年の妊娠期間を経て、さらに一年近く授乳して育てた子どもを殺されることは、大きな損失のはずだ。が、にもかかわらず、実際にはわが子を殺したオスに対して発情し、結ばれて出産へといたるのはなぜか。人間には到底理解しがたい展開だろう。

群れを乗っ取った、より強いオスの子を産むことはメスの利益にもなる、という説明もあり得るが、より強いといっても、前のオスも同じ乗っ取りオスなのだから、どちらが特に優れているということはない。

しかし、よく考えてみると、メスにとって、わが子の父親であるからといって、排除されてなわばりを失った前のリーダーについていけば、安全に自分の身を守りわが子を育て上げることは著しく困難になる。それなら、せっかく何ヵ月か育ててきたわが子を失う損失を受け入れても、被害を最小限にくいとめるためには、いち早く次の子を作るほうが、メスの繁殖戦略＝遺伝子の包括適応度にとっても有利なのではないか。社会生物学では、そう考えるのだ。

しかし、杉山さんは、「子殺し」における「遺伝子の包括適応度」という根本的な要因については承認するが、それは「究極要因」であって、それだけで子殺しが起きるわけではない、と考えていた。動物の行動は、あくまでも個々の個体が、周囲の条件や前後の状況などの直接要因＝「近接要因」に導かれてなされるものだと考える。

その証拠として、ハヌマンラングールにしても、インド亜大陸の北部の群れではハーレム型の「単雄群」構造をとらず、「複雄群」となることが多い。したがってそこでは、必然的に群れの乗っ取りも「子殺し」も起きないという。

これは、冬季の積雪や食物不足など、インド北部の自然環境が厳しいため、ハヌマンの生息密度が低いことが影響していると考えられる。あぶれオスのパーティは、群れオスに追い立てられたりすることも少なく、群れオスに見つからずにメスに接近して子孫を残すことさえありうる。オス間の競争があまり激烈でないから、「複雄群」が存在する余地があるのだろうと考えられている。ニホンザルのあぶれオスが群れに追随していくことがあるように、環境要因の影響が大きいのだ。

杉山さんの著書『子殺しの行動学』を文庫に収録するに際して、わたしが解説を依頼した立花隆さんも同じ見解だった。立花さんは、この本を「サル学の歴史に残る名著の一冊である」と高く評価した。そのうえで、結論として、「利己的な遺伝子」という究極要因だけを強調しすぎると「疑似科学的誇張」に陥ってしまうだろうと述べ、遺伝子と環境をつなぐ「生理的メカニズム」を解明することの重要さを指摘した。

要するに、遺伝子という「究極要因」と、環境という「近接要因」の両方を解明しないと本当の解明にはいたらないということである。

いずれにしても、杉山さんの世界的大発見である『子殺しの行動学』と、その前後に大きく展開した「社会生物学」の知見によって、それまで主流だったローレンツやティンバーゲンが主導していた動物行動学研究は、主役の座をあけわたした。それまでありえないと思われていた動物の「種内子殺し」は、動物界ではごく一般的に見られる現象であることが証明された。それを引き起こすものは、少しでも自分の子孫を増やしたいとする個々のオスの「利己的遺伝子」プラス環境要因のなせる業だということだ。

ところで、この『子殺しの行動学』を文庫に収録したあと、わたしは前述の日高敏隆さんの『動物にとって社会とはなにか』を再読していて、驚いたことがあった。それは、日高さんが、ヘロドトスの『歴史』にふれている記述である。ヘロドトスは、誰でも知っているように、紀元前五世紀の古代ギリシアの歴史家だ。日高さんによれば、ヘロドトスは『歴史』の巻二にこう書いているという。

エジプトでは家畜の数が多いが、もし猫に次に述べるような奇妙な習性がなかったならば、その数ははるかに大きくなるはずである。猫の牝は仔を産むと、もはや牡猫によりつかなくなる。牡は牝と交尾しようと思うが果たせないので、こんな策をめぐらす。牝猫から子猫を奪いとったり盗んだりして殺してしまうのである。もっとも殺すだけで食うわけではない。仔を奪われた牝は、また子を欲しがって牡の許へ来るわけで、それほど猫は子煩悩な動物なのである。

「猫は子煩悩な動物なのである」という結論は的外れだが、さすがに大歴史家ヘロドトスは、二五〇〇年も前に、猫の「利己的な遺伝子」が自分の子孫を残そうとして「子殺し」を実行している事実を見逃していなかった。ちなみに、セレンゲティで「子殺し」が観察されたライオンは、言うまでもなくネコ科の動物である。

さて、日本の若き動物行動学者杉山幸丸さんの画期的な観察記録と、イギリスの進化生物学者リチャード・ドーキンスの理論によって明らかにされたのは、動物の社会行動とは利己的な遺伝子（ＤＮＡ）の子孫拡大戦略だという驚きの事実だった。そして個々の動物とは、とりもなおさずそのＤＮＡの乗り物であって、自然界の本当の主役はＤＮＡだということである。

ＤＮＡは、自分の乗り物である「個体」が老化するとそれを乗り捨て、生殖をつうじて子どもという新しい次世代の「個体」に乗り換える。太古以来それが延々と繰り返されてきて、「個体」はつぎつぎ死んで大自然の循環のなかに還っていくが、遺伝子（ＤＮＡ）だけは地上にとどまって、不滅だという。それはヒトにおいても変わらない。なにか忌々しい話だが、事実と認めるほかはない。

そして、忘れてならないのは、そのＤＮＡは、ハヌマンラングールの「子殺し」から類推されるように、自己の遺伝子の増大だけを追求するきわめて「利己的」な本性を有すると同時に、しばしば極限的な暴力性をともなう、という事実である。

もちろん、動物行動学の研究成果の安易な擬人化は厳に戒めなければならないが、ハヌマンラングールは、進化論的にはヒトと同根の霊長類である。ヒトのＤＮＡが、同様の「利己的な遺伝子」と無縁だと考えるほうが不自然だろう。現に人間社会でも時折、何の罪もない幼児がさまざまな理由から、無残に命を奪われるニュースが絶えることはない。

霊長類としてのヒトは、「利己的な遺伝子」のエゴイスティックな属性を克服することはできるのだろうか？　世界と人間の未来を考えるとき、この「利己的」と「暴力性」という問題から目を背けることはできないであろう。以下では、そのことを問いつづけ、克服への可能性を探る思索について見て行きたい。

2

自然は、神のはからいと人間の科学とで二重に創造されている

近代日本の最良の思想家福田恆存

書籍の編集者として勤めてきたわたしは、定年からしばらくしていわゆる古希の年に近づいたころ、現役時代の記憶に残っていることを書き残しておこうという気持ちになった。ちょっと厄介な病気の宣告を受け、ことによったら余命が長くないかもしれないと思ったこともきっかけの一つだった。それで現役時代に親しく謦咳に接し、とくに印象に残った十五人ほどの学者・思想家について、感想をまとめた。いずれも、直接自分の手で本作りを担当した著者という条件をつけた。が、そのなかにひとりだけ例外として、実際に本作りを担当したことのない人物を取り上げた。それが高名な文芸評論家だった福田恆存だった。

つまりわたしは、福田さんについては、最後までたんなる一読者にすぎなかった。が、実はあるとき一度だけ、直接言葉を交わしたことがあった。福田さんは、一九七六年三月からまる一年ほどをかけて、劇作家・演出家としての本拠地だった東京文京区千石の三百人劇場で、八回にわたり「処世術から宗教まで」と題する連続講演をしたことがあった。その講演会を聴きに行き、話が終わったあとの質疑応答のとき、会場から挙手して質問したことがあったのである。

福田さんは講演のはじめに、講演会とか講座というと、いつも一方通行で、こちらから向こうへしゃべっているだけというのがふつうだけれど、この講演会は、話し手と聞き手がもっと交流したかたちの会合にしたいんです、と希望を述べた。そのため、講演が終わると毎回、いま話したことで引っかかったこととか、あるいはもう少し聞きたいと思うことがあったらお聞きになっていただけないでしょうか、と会場に呼びかけた。

これに応じて何人かの手が上がり、福田さんから指名されて質問がはじまるのだが、その内容の多くがかなりお粗末だった記憶がある。なかには、何を聞いているのか、質問している本人も途中でわからなくなってしまうような支離滅裂なものもあった。が、それでも福田さんは、質問者の意図をくりかえし聞き返しながら、辛抱づよくこたえていた。それを見ているうちに、わたしは、福田さんがすっかり気の毒になってしまった。

ふだんの引っ込み思案のわたしなら、会場から挙手して意見を言ったり、質問したりすることなどまずありえないのだが、このときばかりは思わず手を挙げてしまった。すると福田さんが指名してくれた。立ち上がって口を開いたものの、緊張していたので内容はあまりおぼえていない。たしか、講演のなかに出てきた「共同体」について質問したのだったと思う。

福田さんは講演の終盤で、人間はどんな人でも、その人なりの人生論とか人生観、また神信心をもっていて、それをたよりに、何が善で何が悪か、どういうことが望ましいことでどういうことが望ましくないか、人に対してはどういうふうに応対すればいいか、などを判断しながら生きている。それは床屋のおじさんでも、下駄屋のおばさんでもみんなそういうものをもっている、と話していた。

ところが近代化が進んでくると、すべて自分を基準にものをみるようになり、世の中がまちがっていても、水が低きに流れるように、まちがっている現実が正しいと受け取るようになっていく。自分ないし個人を絶対とするようになるからだ。「そうなると共同体というものはなくなってくるんですね。共同体の発生というのは、じつは、みながおなじレベルに立つとか、みながおなじ考えをもつというのではなくて、ただみんながある一つの共通の《理想》をもつということ、それが共同体のひとつの意味なんですね」と言い、「家庭のような小さな共同体から、大きな国家、あるいは世界という共同体、そういうものもみんなそうなんで、一つの《理想》をもつということなんです」と説いていた。

ところが、自己絶対視ということが強くなって、「民族なら民族が、それぞれ自分の現実を《理想》としてしまったり、個人が自分の現実能力をもって《理想》としてしまったりしたらば、もう共同体というものは成り立たなくなってしまう。そこにむずかしい問題がある」と指摘し、「理想」はそのまま高く保っておいて、現代のほうを裁くという態度でなくてはならないのに、逆に、「理想」を現代に合わせたらいいんだ、というような姿勢をとるのはまちがっている、と述べてその日の講演を終えた。

それを受けてわたしは、先生は共同体が成り立たなくなるといわれたが、共同体がなくなるとどんな不都合が生じるのでしょうか。共同体がなくなってもだれも損しないし、とくに不都合も不便も生じないとすれば、なくなってもいいのではないでしょうか、と質問した。共同体を損得で論じるなんて、乱暴な質問かもしれないけれど、いかがでしょうか、と五十年近く前のことなのでうろおぼえだが、たしかそのような趣旨のことを質問したと思う。

これに対して福田さんは、開口一番「いや、乱暴ということはありませんよ」とわたしを擁護してくれたあと、以下、共同体が失われると人びとにはどのような不幸がもたらされるかについて、縷々説き起こしてくれた。たしか、共同体の節季ごとの行事の話や、新潟のちぢみ織りだったかを例に引いて、職人の熟練の技のことなどを説明してくれたようなおぼろげな記憶が残っている。しかし、勇をふるって手を挙げ、前の質問者より多少ましな質問ができただけですっかり任を果たしおえた気になっていたわたしは、せっかくの福田恆存の「共同体論」をほとんどおぼえていないしまつだ。

そんな質問者のようすを気づかってか、ひとわたり説明しおえると、福田さんは、わたしに向かって、「わかりましたか」と問いかけた。余裕のなくなっていたわたしは、鸚鵡返しのように「わかりました」とこたえた。しかし、福田さんはやや疑わしげにもう一度、「わかりましたか。いいですか」と念を押した。福田さんとしては、いまの自分の説明をふまえてわたしがさらに次の質問を発展させれば、一方通行でない対話が成立するのだが、と期待する気配がうかがえた。しかし、何も思いつかなかったわたしは、「わかりました。ありがとうございました」と紋切り型の謝辞を述べて質問を打ち切ってしまった。以上が、この近代日本の最良の文学者・思想家との出会いのすべてだった。

当時、福田恆存はすでに、進歩的ジャーナリズムや戦後民主主義者などと称する人たちからは、大いなる反感をかう存在だった。一九五五年（昭和三〇年）には「平和論の進め方についての疑問　どう覚悟を決めたらいいか」という論文を発表して、戦後日本の進歩的論調を批判したかと思えば、わが家でとっていた朝日新聞の紙上でも、ベトナム戦争における米軍の北爆の即時停止を求める知識人たちの要望書の甘さをたしなめるなど、時代の潮流にただひとり抗して、孤立無援の言論活動を展開する冷厳な「保守反動」として名を馳せはじめていた。

しかし、この日わたしが直接教えを受けた福田さんは、そのようなレッテルがなんのいわれもないことを全身からただよわせる、真摯でやさしい人柄の人だった。

人間は、自由でも平等でもない

福田さんはのちに『福田恆存全集』(文藝春秋)巻末の「覚書」のなかで、「わたしの批評は直接それが文学に関係あると否とにかかはらず、…いづれも人間の生き方を説いて来たものである」(第一巻)と記したが、その言葉にいつわりはなかった。ポレミックな政治評論、時事評論や知識人批判をするときでも、福田さんの文章の根底にはつねに「人間の生きかた」への真摯な問いかけがあった。

大学生だったわたしが、一九六〇年代半ばに、当時読んでいた新聞・雑誌や親しんでいた学者・作家などから嫌忌されることの多かった福田恆存を読むようになったきっかけは、だれもが口をそろえて非難する米軍の北爆を、ただひとり擁護するその論拠をいちおうは知ってみようと思ったことにあった。

一九六五年四月二〇日、大内兵衛、大佛次郎、谷川徹三、宮沢俊義、我妻栄、都留重人、丸山真男の七人を発起人とする約九十人ほどの、当時の日本の第一線で活躍する学者、評論家、作家が、政府に対して要望書を提出した。当時の主流の意匠だった反戦ヒューマニズムの立場からの要望書は、わが国がベトナム戦争に巻き込まれないように、①在日米軍基地の使用を認めないようにすること　②アメリカに対し、直ちに北爆の停止を申し入れること　③アメリカと関係国に対し、ベトコンを加えての平和交渉と停戦を行なうよう働きかけること、の三項目からなっていた。この要望書に対する福田恆存の批判が、二十一日付の朝日新聞に載った。

その要点は、①こういう要望はアメリカに対して何の効果も持たないだろうこと　②それなのに提出するのは、面子のためか、五年後の安保解消運動の前哨戦のためであろうこと　③民族主義の美名にまどわされず、日本は自由陣営の一員であり、アメリカがその中心であるという事実の自覚を明確にすべきこと、の三点だった。

これだけでも、当時の北爆非難・反米一色に沸き立っていた日本社会の世論を逆なでする発言だった。それをものともせず、孤立を恐れずにアメリカ擁護の旗幟を鮮明にするには、たいへんな勇気がいったはずだと思うが、数ヵ月後にこの出来事をふまえて書き下ろされた論考「アメリカを孤立させるな　ヴィエトナム問題をめぐって」は、さらに格別なものだった。

「アメリカを孤立させるな」のなかで、福田さんは、まず日本政府の「親米」と知識人の「反米」はともに、意識の低い国民大衆の実利的ご都合主義、浅薄なヤンキー・ゴー・

ホーム的正義感に媚びたものに過ぎない、と切って捨てていた。そのうえで、アメリカとベトコンと、どちらが筋が通っているか、いずれの筋が「世界史の必然」と深く結合しているか、を深く考察する必要があると問題提起していた。

同時にこの際、「自由陣営の一員としての日本」という自覚をはっきりさせておきたいと述べ、それがこの論文の目的だと闡明していた。そうした世界史的な観点から、ベトコンは民族主義者であり共産主義者ではないとする日本の知識人の曖昧なセンチメントを批判していた。

立論の前提として福田さんは、ホー・チ・ミンは毛沢東のゲリラ戦三段方式にそって事態を進めていると推論する。その第一段階として、ホー・チ・ミンは、政治活動によって組織と拠点を準備し、武器の隠匿・社会的不安の醸成に成功すると、第二段階のゲリラ出撃・奇襲攻撃を敢行して支配地域を拡大させた。さらに最終段階に突入した現在は、戦争によって国家を転覆し政権を奪取しようとしている、と分析していた。

アメリカは、かつてヨーロッパ諸国が、目先の平和に囚われてナチス・ドイツの席捲を許すという取り返しのつかない過ちを犯した、ミュンヘン会談の愚を繰り返してはならないとの反省からベトナム戦争を戦っている、と福田さんは考えているようだった。

つまり、ベトナム戦争の本質とは、共産主義のイデオロギーに対して欧米の伝統であるアイデアリズムが応戦している過程だと捉えることができる、それなのに日本の知識人が、「ベトナムの事はベトナム人に」というとき、彼らの多くは、ベトナムが、また東南アジアが、共産圏になっても構わない、さらに日本がそうなっても構わない、むしろそのほうが望ましいと考えているのではないか、との真摯で根源的な問いを発していた。

当時の日本社会および学界、ジャーナリズムの思想風土には、自由・平等・ヒューマニズムへの気分が支配的で、日本の社会主義化、ひいては共産主義化を許容する空気が色濃かった。しかし、福田さんは、共産圏のインターナショナリズムが一つの観念的イデオロギーを以て世界を統一しようとしているのに対して、アメリカのニュー・インターナショナリズムは、過去のヨーロッパ共同体から自然発生的に生じて、一筋の歴史の先端に芽を出して来た理念であること、アメリカ人はその理念に自分たちの過去の歴史を賭けていると同時に、その延長線上に人類の広義の近代化という実験を賭けている。もし将来、世界連邦というものが考えられるなら、この線に沿ってしか求めることはできないであろう、との世界史のあり得べき趨勢への見通しを披瀝していた。

そして、自分は、過去一〇〇年西洋文化を摂取してきた日本人の文化感覚によって、ヨーロッパ-アメリカの歴史実験のほうを採る、との立場を明らかにしていた。これに対し、なんの力の背景もなしに、イデオロギー的に対立する二つの世界の融和を願望する日本の知識人の平和主義こそ、ドン・キホーテ的夢想というべきだ、と批判していた。

いまにして思えば、どちらの立場が歴史の検証に耐えるものだったかは明らかだと思われる。もし当時の多くの知識階級が許容していたように、日本が社会主義化・共産主義化していったとしたら、真っ先にではないにしても、早晩台頭してきたであろう酷薄な独裁的権力によって自己批判を迫られ、自己改造のための強制労働などに駆り出され、命を危うくしたのは、この要望書に署名したような知識人たちであったかもしれない。

多くの知識人、マスコミ、論壇がこぞって、耳ざわりのよいヒューマニズムと進歩主義的風潮に同意し、反米的言説を自己の良心の証しのようにまき散らすさなかで、人々から蛇蝎（だかつ）のように嫌われながら、文字どおり掛け値なしの孤立無援で、「アメリカを孤立させるな」と主張するには、どれほど深い叡知と信念と勇気のいったことであろう、といまさらながらに感慨を禁じえない。

こうした政治、時事問題の峻烈な発言によって福田恆存に関心をもったわたしを、一気にその世界に引きこんだのは、その人生論だった。当時、わたしも人並みに、思想や人生論をはじめとする青年期特有のさまざまな問題に直面しようとしていた。とくにわたしは、小学生のとき青天の霹靂のように両親が離婚し、その後父が再婚したあと今度は継母と祖母の嫁姑問題が発生して、家の中をつねにおおう不和の気配に悩まされていた。両親の離婚などは世間にざらにあるめずらしくもない話だと承知はしていたが、それでも一〇歳の小学生にとっては生涯の大事件であることにかわりはなかった。

結婚とは、家庭とは、なんだろうか――。女性ならともかく、当時はいわゆる「政治の季節」の真っ盛りで、それはふつうの二十歳の男が考えるような問題ではなかった。しかし、当時のわたしは、政治よりもなによりも、人生の言葉を必要としていた。そんなわたしにとって、福田恆存の著作との出会いは、格別なものであったと、いまにして思う。

書名にひかれて最初に読んだのが、『幸福への手帖』（新潮社）という書だった。そこには、それまで読みかじっていた人生論や小説、思想哲学の観念的な内容とはまるで違う、具体的で実質的な言葉が、明快な論旨で展開されていた。そして、書かれている事柄のすべてが、独特の信念に裏打ちされ、一本の勁い筋で貫かれているように思えた。

それまでの読書体験と根本的に違っていたのは、従来の凡百の人生論、思想書が、人間は自由で平等な存在である、という建前を前提とし、それが実現されないのは社会が悪いからだ、そういう社会を革めるためにわたしたちは努力しなければならない、と格調高げに主張していた。それに対して、『幸福への手帖』は、開口一番、「人間は平等です。だが、現実ではそうはいかない、現実の世界では、人間は不平等です、悪いといおうが、いけないといおうが、それは事実なのです」と明快に言い切ることからはじまっていた。

さらに、短い生涯で、ひとりの力ではそういう現実を変えてしまうことができない以上、現実がまちがっているというようなことばかり言っていてもはじまらない。「現実がどうであろうと、みなさんは、この世に生れた以上、幸福にならねばならぬ責任があるのです」と言って、人間がこの世に生まれてきた基本的な立ち位置について自覚をうながしていた。

　わたしたちが自由でも平等でもないことの一例として、福田さんは、美醜の問題を取りあげている。いわく、美醜によって人の値打ちを計る現実は残酷でまちがっているかもしれないが、わたしたちが心のなかで美醜によって人を好いたり嫌ったりしている事実はもっと残酷であり、しかもどうしようもない現実ではないか。それから目をそむけて、美醜など二の次だと建前をいう心のゆがみのほうが、人びとを不幸に陥れるもとになる。「わたしの原理は、醜く生れたものが美人同様のあつかいを世間に望んではいけないということです」、と言い切っていた。この人は、人の心を逆なでするような、なんと思いきったことをいう人だろうと衝撃を受けた。

　福田さんは、美醜の問題でほんとうに困るのは、現実から目をそむけ、弱点をとりかえそうとして、激しい気もちで長所の芽生えにすがりつき、それを守ろうとしたときに生じる心のゆがみ・ひがみだ、という。ひがみは、現実に敗北した不平家を生むと同時に、頑(かたく)

なつめたい勝利者をも生む。不公平な社会のほうを変えるという甘い空想がひとたび敗れると、今度は社会を呪うようになる。それは、一見、正義の名による社会批判のようにみえても、じつは自分を甘やかしてくれぬ社会への、復讐心にすぎない。それが何より困るのは、「それによって傷つくのは、社会のほうでなく、自分自身だということです」と明快に論じられていた。

もって生まれた弱点にとらわれず、マイナスはマイナスと肯定してのびのびと生きること、自分の弱点を認めること。「そして、それにこだわらぬよう努めること。そのすなおな努力そのものが、いつのまにか、あなたの長所を形づくっていくでしょう」というのが福田さんの結論だった。さらに、「不公平のない社会はこない」、とあえて言い切ったうえで、「それがこようと、こまいと、そういうことにこだわらぬ心を養うことこそ、人間の生きかたであり、幸福のつかみかたであるといえないでしょうか」と問いかけていた。

「人間は、自由でも平等でもない」と論じた福田恆存は、ことの順序として、「宿命」について語りついでいく。わたしたちははじめから「宿命」を負って生まれてきたのであり、最後には「宿命」の前に屈服するのだと覚悟して、はじめてわたしたちはその限界のうちで自由を享受することができる、という。

このように前ふりをしたうえで、『幸福への手帖』は、本題の恋愛・結婚・家庭の問題にはいっていく。福田さんの主張の要点は、女の幸不幸は相手の男しだいであり、男の幸不幸も同様に相手の女しだいであるということ。男のなかには女が棲んでいるし、女のなかにも男が棲んでいるということ。恋愛の幻滅は恋愛の終結を意味するのではなく、むしろ幻滅こそが出発点であるということ。つまり、恋愛とはたえずいっしょにいたいという結合の感情であると同時に、相手から離れ去りたいという分離の感情をもふくんでいる、というのだ。

また、夫婦にせよ、友人同士にせよ、完全なる和というものはありえない。その裏には、つねに破局の危機が蔵されているが、そのことをわたしたちは悲観的に受けとる必要はない。和のかげにはつねに不和のきっかけが忍んでいるということは、いいかえれば、和は不和によって保証されているということだ。「もし不和がないとすれば、それは二つの精神の合一ではない。二つである以上、かならず不和と対立がつきものです。それが合一すればこそ、和の喜びがあるはずです」と説かれていた。

そのうえで福田恆存は、「家庭」というものの復権を強くうったえている。近代日本では、一般に進歩的な考え方をする人たちが、「家」という観念を眼の仇にしてきた。しかし、家庭を重視することと旧い家族制度や家族主義の復活とは、根本的に異なる。家庭は、そのようなうしろめたい存在であっていいわけはない。「家庭は便宜的な、あるいは消極的なものではなく、それ自体が目的たりうる積極的なものでなければならないし、またそうありうると信じております」と確言していた。

家庭は、社会生活の基本形態であるばかりでなく、人間の生の基本形態であって、わたしたちは家庭においてはじめて、完全な生の在りかたを実現できる。社会において、あるいは職場において、たんなる部分的な断片でしかないわたしたちも、家庭においては一個の完結した人格たりうる。「ロレンス流にいえば、どんな身分の低い男でも、家庭にあっては一個の王でありうるし、その妻は妃でありうるのです。したがって、家庭は一小王国であり、一小宇宙であるというわけです」と、家庭の重要さをこの上ない表現で説きつくしていく。

人が人を信頼できるというのは、一人の男が一人の女を、あるいは一人の女が一人の男を、そして親が子を、子が親を信頼できるからではないか。それをおいて先に、国家だの社会だの階級だの人類だのという抽象的なものを信頼できるはずはない。それゆえにこそ、家庭が人間の生き方の、最小にしてもっとも純粋な形態だといえる、と付言していた。

こうした福田恆存の言葉は、わたしのなかに、乾ききった海綿が澄んだ真水を吸いこむようにしみとおっていった。福田恆存のこれらの言葉によって、わたしはすこし救われたように思えた。いつか愛する女性を見つけ、結婚し、家庭を大事にしながら生きていけるかもしれないと思いはじめていた。

D・H・ロレンスの「黙示録論(アポカリプス)」

『幸福への手帖』で福田恆存は、マイナスをマイナスと認めて、それにとらわれずにのびのびと生きることが大切だと述べていた。無理に弱点をとりかえそうとすればゆがみが生じ、そのゆがみが不平家を生む。不公平な社会を変えようとする空想が敗れると、今度は社会を呪うようになる。それは正義の名による社会批判のようにみえて、じつは自分を甘やかしてくれぬ社会への復讐心にすぎない、と警告していた。このような考え方に、イギリスの作家・思想家のD・H・ロレンスの「アポカリプス論」の思想の反映をうかがうことができた。

福田さんは、「アポカリプス論」をみずから訳した『現代人は愛しうるか』(白水社版)の「訳者あとがき」で、「人間を造りかへる力をもつた書物といふものは、さうめつたにあるものではないが、この『アポカリプス論』はさういふまれな書物のひとつである。すくなくとも、ぼくはこの一書によって、世界を、歴史を、人間を見る見方を変へさせられた」と、根本的な影響を受けたことを告白している。

D・H・ロレンスは「アポカリプス論」(中公文庫版『現代人は愛しうるか』)の中で再三、われわれ人間は、もともとコスモスと一体の存在であり、いまだにコスモスの一部である、と記している。いわく、「もともと吾々の血と太陽との間には、そして吾々の神経と月との間には未来永劫にわたって脈々たる交流があるのだ。…吾々とコスモスとは一体である。コスモスは広大な生きものであって、吾々はいまだにその一部である」と。

あるいは、「吾々は生きて肉のうちにあり、また生々たる実体をもったコスモスの一部であるという歓喜に陶酔すべきではなかろうか。眼がわたしの体の一部であるように、わたしもまた日輪の一部である。わたしが大地の一部であることは、わたしの脚がよく知っている。そしてわたしの血はまた海の一部である」とも。

ロレンスのこのような言葉を受けて福田さんは、『現代人は愛しうるか』の巻頭解説の末尾近くで、つぎのような問いを発している。「ロレンスの脳裡にあった理想的人間像はいまやあきらかである。人間は太陽系の一部であり、カオスから飛び散って出現したものとして太陽や地球の一部であり、胴体は大地とおなじ断片であり、血は海水と交流する。はたしてこのような考え方は神がかりであろうか」と。

否である、とわたしも思った。ロレンスの論は、決して「神がかり」の神秘主義ではないと同意した。すぐれて詩的、哲学的であるとしても。福田恆存も、のちの論考のなかに、

「おことわりしておきますが、ぼくは唯物論者であります」（「芸術とは何か」）と書き付けた無類のリアリストの立場から、人間は「カオスから飛び散って出現したものとして太陽や地球の一部」であるとするロレンスの「全体」の哲学を受容したのだと思われる。

自然物と人工物を区別しないアリストテレスの「自然学」

「全体」の哲学に関連して、福田恆存は、前述の連続講演「処世術から宗教まで」のなかで、アリストテレスの「自然学」の議論を引きながら、こんなことも言っていた。

「よくわたしたちは自然と人工との対立ということを考える。こういうものは人工品だというのだけれど、自然物と人工物との違いはどこにあるのかということが、アリストテレスを読んでいるとちょっとわからなくなってくるんですね。それはなぜかというと、人間というのは自然物ですからね。自然の一部なんです。で、自然の一部が作ったものがこれ（人工物）だとすると、松の木が松ぼっくりを作ったのとどこが違うんだ、と。自然以外の要素が入っているかというと、入っていないですね。全部自然以外の要素というのはないんです。無機物だとかなんとかって軽蔑しているけれども、これは自然物で、無機物は人間よりもっと年季がかかって、長い間かかって存在したものが多いんですから。死んでいるからといって軽蔑してはいけないので、わたしたちより年長者として尊敬しなければいけない。銅だとか鉄などというのは、わたしたちより年季がかかっている。

それが死んでいるとか、生きているとかということ…。アリストテレスはそこまでは論じてはいませんよ。論じていませんが、わたしがアリストテレスの考えを延長していくとそうなる。あるいはわたし流にうまくアリストテレスを利用するとそうなる。どこに差があるんだろうかというと、わたしはどうもそこのところで差をつける理由はないと思います。人工品と自然物とに差をつける違いはないように思うんですね。だから人間が作ったからといって、人工物も自然物だといったっていい。

アリストテレスから、人工と自然との対立が出てくる。対立というより、差が出てきているのですけれども、近代のようにそれを対立概念としてとらえていないということですね。いいかえれば、人間と自然を対立概念としてとらえていない、アリストテレスの場合には。

近代は、人間を自然に対する対立概念としてとらえた。自然を、自然科学のあつかえる範囲内のものにしてしまった。そういう一つの危険が、近代にはあるわけですが、アリストテレスの場合には、そこはかなり連続的になっている」と。

こうしてアリストテレス＝ロレンス＝福田恆存にみちびかれてたどってくると、「近代主義的個人」などといったスローガンは、急速にその実在性を薄れさせていくように思える。人間は、本質的に太陽系の一部であり、肉体は大地とおなじ地球のかけらであり、体内を流れる血液は海水と交流している。それどころか、一般に究極の対立とみなされている自然物と人工物の対比すら、その境界はきわめて曖昧になってくることがわかりはしないだろうか。

アリストテレスに由来するという福田恆存の人工物と自然物を区別しない考え方は、ラディカルで画期的である。わたしたちの多くは、化学的に工業生産された人工物を「悪」のように見なし、自然物のみが人にやさしく環境にも好ましいと考えがちだ。しかし、アリストテレス＝福田恆存は、人工物だって元々は宇宙の元素からできている人間が、同じく宇宙の元素からできている無機物を合成したものなのだから、松が松ぼっくりを作ったのと同じで、両者を区別する理由は何もないと言う。この考え方は、後の第5章で、現代最高の宇宙物理学者スティーヴン・ホーキングのことばを引きながら、再度検討することになるだろう。

ともあれ、ロレンスの言葉どおり、人間は、本源的に、石（銀河系のカオス）から生まれて、最後は石にかえっていく宇宙的な存在なのではないか。それが人間の持って生まれた宿命・天命であって、宿命を受けいれ、自足し、したがうこと。そこに、死すべきものとしての人間の孤独とさびしさを超えた、静かな自足と諦念とがおとずれてくるのかもしれないと思えるようになった。

青年期に、福田さんのことばによって家庭の意義について考えさせられ、気を取り直して生きられるようになったわたしは、前述したように、老年期にさしかかったころ、場合によっては、早期の死を覚悟しなくてはならないかもしれない難治性の血液の病を告げられ、強い苦悩に陥った。

しかし、こうした福田さんのことばを思い起こし、味得するうちに、次第に、身近に接近してきた死に向き合い、死と和解し、甘んじて死を受け入れることができるかもしれないと思うようになっていった。銀河の塵から生まれた自分に、すこし早いが、帰るべきときが近づいているのかもしれない、その宿命を受け入れることができるかもしれない、と思えるようになっていった。

いまは、その後処方された薬の効果でか小康を保っているが、いつ病勢が反転するかは神のみぞ知るところだ。もしそのときがくれば、わたしの身体は焼かれて煙となり、元素にもどって火葬場の排気口から立ちのぼり、天空・大地・海へ、悠久のコスモスの中へと帰って行くことになるのだろう。「死すること、帰するがごとし」という諦念のうちに、自足することができるかもしれないと思うようになっていった。

エゴイズム・神・最高善・自己犠牲

そもそもこの「処世術から宗教まで」という連続講演そのものが、「宗教」「神」「宿命」、そして「絶対者」とは何か、を尋ねる福田さんの思考過程の公開実験のようだった。その七回目の初めで福田さんは、「エゴイズムは悪いというが、そう簡単にはいえない。エゴイズムは結局バイタリティだと思うんですね。人間の生きる生命力だ。だからこれをむやみに否定してはいけない」と、通説とは異なるエゴイズム肯定論を提示する。

別の論考「一匹と九十九匹と」のなかでも、「人間といふものがエゴイズムの満足を考へられずにはなにごともなしえぬ動物であるといふ事実」から眼をそらしてはならない、と強調されていた。まるで、第1章で見たドーキンス＝杉山幸丸の「利己的な遺伝子」論をふまえているかのような、人間のエゴイズムへの処し方に関する独自の見解だった。

もし「エゴイズム」という、人が生きてゆく生命力の根源である個人的な心理的事実を無視すれば、いつまた個人を否定する「悪しき全体主義」である国家正義（ナショナリズム）あるいは社会正義（コミュニズム）の、無批判的な信仰が復活するか知れたものではない、と警告していた。

つづけて福田さんは、この連続講演で自分は、神を否定するように否定するように語ってきた、すべてを一度技術、つまり「処世術」の問題に還元してみようとして、真心とか誠というものを否定してきた。が、それを裏返しにすると、真心や天や至誠について語ってきたつもりなんです、と種明かしをする。

わざとひっくり返し、否定するやり方をして、全部人間に可能な処世術の問題に還元してみようとすると、どうしても可能でないところにぶつかる。そこまでくると、いままでマイナス札ばかり集めていたのがいきなりプラスになってしまうカード遊びと同じように、「神が出てくる」、と本当の狙いを吐露する。

こうして講演「処世術から宗教まで」の最終回は、ひたすら「神」「絶対者」「普遍性」、そして「理想」についての話になる。以下、摘記しながら、福田さんのことばをなるべく忠実にたどっていくことにしよう。これまでのどの著書にも、全集にも載っていない、福田恆存の貴重な宗教論、「神」論である。

まず、自分はキリスト教、なかでもカソリックというものに割合興味をもち、あんなにうまくできている宗教はないと思ってきたが、「最近、わたしはだんだんそれに疑問をもってきている」と重要な告白をする。

なぜかといえば、カソリックでも、キリスト教、プロテスタンティズムでも、どうしてあんなに神さまのことをなれなれしく知っているようなのだろうと思うんです、と疑問を投げかける。

神さまというのはもっと偉い人、人と言ってはいけないな。偉きもの、偉き存在、人格神の偉き方なのに、どうして神さまのことをあんなにくわしく知っているのか。畏れ多くてそんなこと、知らないほうがいいのではないかと思う、と疑問を口にする。

聖書には、神さまがしたことがいちいちみんな書いてある。あんなことどうしてわかるんだろう、と思う。神さまが、われわれがしたことをみんな書いているんだったら、神さまというのはそれくらい偉い方だというのがわかるんだけれど、人間のくせにどうして神さまが、一日目に何なにを作って、二日目に何なにを作って、七日目に休んだ、そんなことまでなぜわかるんだろうか。あれはいんちきだぞと、わたしは思いはじめましてね。クリスチャンがいらしたらご勘弁いただきたいんですけれども、と語りついでいく。

神さまというものは、人間を表現しているものなんです。人間ばかりではない、自然もそうなんですが、全部を表現したもの、その創造者であり、表現者が神なんですからね。こっちは被創造物であり、被表現者なんです。それがどうして神のことがわかるのか。造られた人間なんですからね。神さまは後ろにいて、こっちを突き出してきたわけなんです、わたしを。

それを、西洋人というのはそういうところがあるのかな、すべての西洋人がそうとはいわない、原始クリスト教はそうではなかったと思うけれども、中世にいたってトマス・アクィナスの『神学大全』など、人間の学問的要求というものがあった。神さまに突き出されて、神さまが後ろにいて、前を向いて動いていればいいものを、ふっと後ろを振り返って神さまの顔をながめた。これが間違いのもとだったとわたしは思う。

神の顔というのは、見えないもの。神というのは光そのものなのだから、見たら眩しくなって目がつぶれる。なのに、振り返って、神の顔まで書きあげたところから、間違いが起きたというふうに思うんです。

イエズス会などという組織にしても、神さまというものをあまりに説明しようとしはじめた。神さまは、人間が浅はかな知恵をもっていろいろ説明しなければ成り立たないほどやくざなものではないんだということが、どうしてクリスト教の坊さんにわからないんだろうか。そのことが、わたしはここのところ何年間か疑問に思っているんです。

神は、実感すべきものであると、わたしは思うんです。ことに宗教という問題は難しいんで、うまく脈絡つけて話せないんですよ。そのとば口までいったわけなんですが、宗教そのものは話せないんですね。宗教というもの、神でも仏でもそのものについて語ることはできない。クリスト教の神学などは語りすぎた。神さまは後ろにいるので、だれも見たことはない。それがあるということを信じているだけのものだろう、とわたしは言ったわけです。それを、後ろを向いて、神さまはこういう恰好をしていると言いはじめたからいけない。だから、ニーチェが言ったように「神は死んだ」という時代が来てしまった。

知ってしまうとだめ。人間同士も、夫婦でも恋人でも、おたがい理解し合ったと思うと、自分の理解力の中に相手を閉じ込めてしまうことになる。すると、相手がそれからはみ出たときに、自分に対する裏切りだと思ったりする。それとおなじに、神さまというものを理解してはいけない。理解できるようなものなら神さまではない。

だから、そういうと怒られるかもしれないけれども、友人ですが遠藤周作君が『沈黙』という作品を書いた。沈黙しているのは神さまの商売ではないかとわたしは思う。商売というとおかしいけれども、神さまの仕事ではないかと思う。問いかけても答えない。救いを求めても一つも手を伸ばしてくれない。これが神さまというもので、だからこそ信じられる。救いを求めたら助けてくれるのだったら、金貸しとおなじだ。質問して答えてくれるというのでは、たいしたものではないのです、そんなものは。問うても答えられないものが世の中にはある。そういうものを前提としなければ、神というものは出てこない。

だからわたしは、神の存在は信じているけれども、付き合わないことにしているんです。付き合える存在ではないということ。神さまとの付き合い方は、付き合わないということです。それでも苦しいときの神頼みというのは、考え方はピンからキリまでありますけれども、あれが本当の神さまとの付き合い方だと思うんです。ふだん神さまなんていうものと付き合いしてはいけないんで、やりきれなくなってどうにもしようがなくなったときに、お賽銭上げようかという気持ちになるものなのです。

　宗教というものを唯一神教、あるいは「絶対者」というものをもったクリスト教を原型にして考えると、日本にはそういうものはないのではないか、八百万（やおよろず）の神や仏さまというものはあるが、これは西洋流の「絶対者」というものとは違う。しかし、日本人に「絶対者」がないという考え方は間違いではないかと思う。そういう存在をうまく理論化しなかったけれども、日本人にも「絶対者」という意識はあるのではないかとわたしは思う。ただ、わたしはそれをうまく話せない。

　だが、要するに「絶対者」という言葉はむずかしいけれど、自分というものを絶対視しないところから出てくる問題がいろいろとある。つまり簡単にいうと、相手の立場に立つという「思いやり」ですね。「思いやり」というのは、なにか理論的な「絶対者」を設けなくても、そこに人間の「普遍性」というものを考え、その普遍性に照らして相手のことを思いやる。そういう気持ちが日本人にあるとわたしは思う。それは日本人に限らない、どこにでもある。これを人間的といってもいいと思います。それは、洋の東西を問わずあることで、他人に対して人間的であるということ。

そういうことでいえば、日本人に「絶対者」がないとは言い切れない。もしそうでなかったら、われわれは外国人と話していても全然通じないということが起きると思うんですね。だけど、そういうことはない。やはり「普遍的なもの」というのはあると思う。そういうものが本当の神で、クリスト教の神だけが神ではないだろう。おたがい同士、みんなわかりあうものがある。だから神というものはある。

西洋だったら中世、日本でもだいたい中世まで、あるいは戦前と戦後を分けて、戦前と戦後と大きく違うということを申しますと、道徳にせよ宗教にせよ、「理想」というのがありますね。「理想」というものは、だいたいどこの宗教でも「愛」を「理想」とするわけです。「愛」というのは、いろんな言い方がありますが、「自己犠牲」ですね。イエスも自己犠牲でしょう。しかしああいう大きな自己犠牲ではなくても、法隆寺の玉虫厨子には「捨身飼虎」というのがありますね。身を捨てて虎を養うというあの自己犠牲。これが「最高善」であり、神への道というものである。

これは間違いないんです。これは、もうわかりきったことなんです。それは時代によっては変わらないんです。人種によっても変わらない。人類の文明というものが発生して以来、自己犠牲が最高の美徳だということは変わらない。時代によって変わるというのは、わたしは間違いだと思う。民族性だとか、習俗、風俗とかいうものによって、多少の変化はあるけれど、最高善というものが変わることはない。

ところが、現実というものをよく見ろという意見がある。現実を見ると、「理想」などほとんど行われていないではないか、という。現実を見たらそうだから、やめたらどうか、という。そんな意味のない「理想」はやめたらどうか、という言い方になってくる。これが割合俗耳に入りやすい。

戦前は「理想」というものは非常に高いところに置いておいた。自分はこのへんだ、とても駄目だ、と思っていても、世の中は「理想」どおりにいきはしないのだから、「理想」を切り下げるとは考えない。ところが戦後の現実は大きく変わってきたので、戦前の「理想」というものは無理ではないか。だからそれを否定する、あるいは変えることがいいのではないか、という言い方、これが間違っているのです。

「理想」とは一種の求心力みたいなもので、そういう「理想」があるから、いいかえれば、神とおなじで、神というものは規定すべきものではない、あるいは見るべきものではない、姿を描くべきものではない、もう一つ言いましたね、沈黙しているからこそ神だ、と。答えを出さないからこそ神だ、と。それとおなじで、「理想」というものは、実現できないからこそ「理想」の名に値するので、ちょっとやそっとの努力で実現できたり、世の中が理想的になったりするような「理想」なら、それはつまらないもので、「理想」ではない。

人間のなかには、やはり神を求める気持ちがあるんだということ。それから「理想」を求める気持ちというのはあるんだということなんです。これは、ずいぶん現実主義者のような人間でもみんな、そういうものをもっている。

神を求める気持ち、「理想」を求める気持ちはある。「理想」は、実際は到達できない。しかし、人間に到達できないようなものを求めている。それが宗教とか、道徳の最高善とかを求める気持ちになっているので、それを実現できるようにしてしまったら、魅力がなくなってしまうんです。

人間のなかには、意地の悪い目と同時に、やはり良く見たいという気持ちをみんなもっているんです。それが神とか「理想」とかいうものを生んできたものであって、本当のクリスチャンからいうと、神が人間を生んだんだということになるのですが、そういうことはわたしはどうでもいいんです。でも、もし神はいらない、あるいは「理想」というものを現実に引き下げていこう、現実に見合うような「理想」をもったらどうかというような言い方をされると、それは待った、人間のなかには、そうではないものを求めるものがあると申し上げたいのです。

そう述べて、福田さんは、「処世術から宗教まで」の講演を締めくくった。そこには、エゴイズムを人間の避け難い本性とみなしながら、しかし反エゴイズムの極致である「自己犠牲」を最高善の「理想」として追求しつづけることをやめられない人間の葛藤が論じられていた。それは、体内に内蔵されたあの「利己的な遺伝子」に操られながらも苦しむ、人間の永遠につづく宿命的な葛藤のように思われる。

あるいは、キリスト教でいう「原罪」に関係があるかもしれない。アダムとイヴが神の命に背き、禁断の木の実を食べたことによって背負った生まれながらの罪、とは、日本人にはわかりにくい概念だが、もしヒトのＤＮＡの中に内蔵されている度しがたい利己心（邪欲）を原因とするもろもろの罪悪と堕落だと仮定すると、それなりに理解できないことはない。イエスは、隣人を愛するように説き、人間の原罪を贖うために十字架に就いた、自己犠牲の極致だとされている。

人間が科学で創造したもう一つの自然

福田恆存は、一九六八年（昭和四十三年）の一月、ある席で三島由紀夫から、「福田さんは暗渠で西洋に通じてゐるでせう」と極め付けられたことがある、と明かしている（全集第六巻「覚書」)。「どう考へても三島はそれを良い意味で言ったのではなく、未だに西洋の亡霊と縁を切れずにゐる男といふ意味合いで言ったのに相違ない」と記している。

一九六八年といえば三島が市ケ谷で自裁するおよそ三年前だが、三島からすれば、思想的に近しい同志のようでいて、実は根本的に相容れない人だという訣別の言葉でもあったのだろう。さすがに三島の炯眼というべきで、福田恆存の眼がつねに、キリスト教と西欧の精神史を見つめていたことはまちがいない事実と思われる。

わたしたち日本人は、現在享受している利便のすべてをヨーロッパ文明に負っている。機械文明然り、産業資本主義然り、議会制民主主義然り、教育システム・近代科学・思想哲学芸術などの精神文化までふくめて、日本伝来のものをほとんど捨て去り、ヨーロッパ文明が生み出した成果を取り入れたものばかりである。

日本固有のもので世界に誇るに足るものといえば、わずかに仏像彫刻、能・歌舞伎などの文化遺産、そしてオリエンタルな和食文化くらいしかないというのが実情だろう。そのような現実に立って、わたしたちが近代日本のかれこれの問題を考えようとすれば、何をおいてもまずヨーロッパの歴史、キリスト教の精神史を理解しなければ何もはじまらないのは自明のことだ。そのような必然から、福田恆存の論考「近代の宿命」(全集第二巻)は取り組まれている。

福田恆存の数多の文学論や思想哲学の論考、あるいはポレミックな時事評論とちがって、「近代の宿命」は、ある意味で哲学思想の教科書のように折り目正しく、ヨーロッパの哲学・思想の歴史がキリスト教思想の推移にそってたどられていく。その結果、この論文は、著者がヨーロッパ精神史を探究、理解するための研究ノートのような様相を見せている。「広義の近代は宗教改革とルネサンスとからはじまる」という言葉とともに、本論が展開されていく。「宗教改革とルネサンス」が近代ヨーロッパ形成の原動力だとすれば、それらを生み出した母胎としての「中世といふ時代精神のもつ強靭な統一性と一貫性」が注目される。

中世は、「宗教改革とルネサンス」に自己への反逆をゆるしながら、その反逆にかかわることによって、近代にたいする支配形式を継続している、という独特の史観が披歴される。その意味では「ルネサンスは中世への反逆などではけっしてない」。新時代のルネサンス運動や宗教改革運動を展開しはじめた人たちはほかならぬ中世人である、と述べたうえで、カトリック哲学者のジルソンの有名なテーゼが引用される。

「ジルソンは中世プラス人間がルネサンスであるといふ通念に対立して、中世マイナス神がルネサンスであるといってゐる」。

つまり、近代とは、中世にヒューマニズム(人間中心主義)が足し算された、プラスの時代ではなく、中世から神が失われることによって下降しはじめた、引き算の時代であるというのだ。通説をそう転倒させたのち、福田さんは、ルネサンス以後の下降する局面をつぎつぎと論証していく。なかでも最も重大な指摘は、実証科学批判だ。

福田恆存は、科学は、「人間を神の支配、自然の呪縛から解放せんとこころみるだけではなく」、支配階級や隣人が強いる縦横（たてよこ）からの圧迫・規制から人間を解き放とうとするものである、と論じる。その結果、一人の個人と一点の残余なく科学化された自然だけが残る。そして、この「残るくまなく科学化された自然」というのは、人間がみずから欲する物質生活を手に入れるために、最高度の科学・技術の発達と機械化とによって「自然を再組織」することにほかならない、と指摘する。

「自然の再組織化」と聞いてすぐに思い浮かぶのは、十七世紀ヨーロッパの偉大な哲学者・数学者のガリレオ・ガリレイが発したという、「自然は一冊の本であって、その本は数学のコトバで書かれている」という宣明である。正確には、一六二三年に刊行された著書『偽金鑑識官』の中の一節で、以下のように書かれている。

「哲学は、眼のまえにたえず開かれているこの最も巨大な書〔すなわち、宇宙〕のなかに、書かれているのです。しかし、まずその言語を理解し、そこに書かれている文字を解読することを学ばないかぎり、理解できません。その書は数学の言語で書かれており、その文字は三角形、円その他の幾何学図形であって、これらの手段がなければ、人間の力では、そのことばを理解できないのです。それなしには、暗い迷宮を虚しくさまようだけなのです」(『世界の名著』21　ガリレオ)。

このように、ガリレオ、コペルニクスら近代科学の創始者たちは、神によって創造された宇宙＝自然のうちに、数理的な法則ないし幾何学的な原理によって初めて解読可能な、機械のようなもう一つの自然を見出していたのだ。

福田恆存は、この《機械のようなもう一つの自然》の発見を、あきらかに「世界創造における神の立場であり、その意図でもある」と喝破した。すなわち、人間のあらゆる生存活動の基盤となっている自然が、神の創造したままの自然と、科学(という人間のコトバ)によって分節＝再組織化された自然という二重性をおびる結果になっていることを洞察したのである。神になり代わって、人間が「世界創造」したもう一つの自然の発見だった。

わたしたちが生きる基盤である「自然」は、神慮(今風にいえば「ビッグバン」)によって創造された自然と、科学という人間のコトバによって創造された自然という二重性を帯びて存在しているというのだ。その事実を剔抉(てっけつ)した福田恆存の論議を知ったとき、わたしは大きな衝撃を受けた。と同時に目からうろこが落ちる思いがした。

人間存在の基盤である自然は、百何十億年も前のビッグバン＝宇宙創成とともに始まった人間不在の「ありのままの自然」と、人間が登場して以後の「科学」というコトバによって分別された自然とに、二重化されていることが明らかになった。福田さんが看破した、世界は二重に創造されているという事実は、近代に入ってますます歴然となっていった。

古代オリエントの大規模建造物や治水・天体観測の経験から誕生した技術と理論は、古代ギリシアの哲学者やソフィストたちの手で発展し、さらに一七世紀ヨーロッパに受け継がれて一つの頂点を迎える。ガリレオ、コペルニクスらによるいわゆる「科学革命」である。

その「科学革命」が一八世紀イギリスの産業革命を生み出し、絢爛たる近代文明を開花させた。さらに進歩の加速度を加えると、二十世紀には、月面着陸を頂点とする宇宙開発を実現した。が、その反面で、核兵器という邪悪な鬼子を生み落としたことは、人類の科学・技術文明の栄光と悲惨に他ならない。

現代文明の基礎を築いた「科学革命」の代表者であるガリレオは、その地動説が神を冒涜するものとして異端に問われた裁判で判決が言い渡されたあと、「…でもやっぱりそれ（地球）は動いている」と独語したと伝えられている。その十年前に著した著書の中では、宇宙は一冊の巨大な本であって、その本は数学のコトバで書かれていると述べて、数理的な世界認識の方法に絶対の自信を示した。この言葉こそ、神が創造した太古以来の一瞬もとどまることなく流れつづける持続的自然の上に、人間が科学的思考法によって創造した数理的・分割的自然を上書きしたことの、倨傲ともいえる宣言であった。

生の終わりに死を位置づけえない思想は空虚

わたしたちの生存の基盤である自然が、いまや隈なく「科学化」されていることを喝破した福田恆存が、一九九四年（平成六年）一一月、八二年の波瀾の生涯を終えたことをわたしは新聞で知った。葬儀が一二月九日、青山斎場で行なわれることが告知されていた。その著述に親しんできたとはいえ、一八年前の講演会のときに一度質問しただけの縁しかなかったわたしは、葬儀に出席しようかどうか迷った。しかし、福田さんの著作から受けた厚恩を振り返ったとき、やはり最後に一言お礼とお別れを言おう、という気持が湧いてきた。

当日斎場に着くと、福田さんの長く華々しい文業と演劇にささげた生涯の証しのように、大勢の人々がお別れの列に並んでいた。元東大総長の林健太郎や作家阿川弘之の弔辞や挨拶は、予想どおり、時代の趨勢に抗して繰り広げた孤立無援の言論活動を讃えるありきたりのものだった。が、二男の福田逸氏による遺族からの謝辞は興味深いものだった。

家庭を重んじた福田さんの著述からうかがえるとおり、福田家は常に笑いの絶えない明るい家庭であったと明かしていた。しかし、六〇年安保のころ、福田さんは二人の兄弟を前に、何かわけのわからない話をしたという。逸氏は、まだ小学生で、父が何を言っているのかよくわからなかった。が、要するに世の中が騒然としていて父の身に何か不慮のことが起こるおそれがないとはいえないから、そのときは覚悟をしておくように、ということだと理解したという。当時、まったくの孤立無援のまま信念に基づいた言論を貫いていた福田恆存に、面と向かって罵声を浴びせる徒輩は少なくなかったことだろう。

逸氏の話は、福田さんの晩年に移っていった。死期が近づいたとき福田さんは、いかなる延命措置も断るといい、葬儀用の写真を自分で用意したうえで、撮影者へ許諾の連絡をするよう指示したという。

献花だけの、無宗教で簡明な、清々しい葬儀だった。福田さんの好きだった横笛の名手による手向けの笛の音とクラシックの名曲が流れる会場でわたしは、福田さんから受けた厚恩を感謝し、お礼を言い、冥福を祈った。

後日談がある。

二〇一五年六月一三日、わたしは福田逸氏の「父、福田恆存を語る」という講演を聴きに行った。逸氏は明治大学教授の英文学者で、ご尊父の跡を継いで現代演劇協会の理事長を務め、数々の演劇の演出も手掛けている演出家だから、福田さんのシェイクスピア劇や創作劇に沿った話になった。そのなかに、福田さんがある日縁側で、小学生だった逸氏に語り聞かせたという話があった。

そのとき福田さんは、縁台を歩いている蟻を指さしながら、この蟻をつぶすと蟻は死ぬが、蟻は自分がなぜ死んだかわからない、唐突に死が降りかかったということさえ気づかないだろう。では人間の場合はどうか。年のせいだ病気のせいだ交通事故のせいだと原因をあれこれ探すけれど、人間だって蟻と同じで、本当のことはわからないかもしれないのではないか。自分の理解を越える、人智を越えたもっと大きなモノの力で死ぬとは考えられないか、と問いかけたという。

このたとえで、父は「死」の理不尽さと、人智を超えた神＝自然＝超越者などと呼ぶほかない大いなるものの存在を教えようとしたのではないか、と逸氏は受け止めたという。

かつて福田さんは、「生の終りに死を位置づけえぬいかなる思想も、人間に幸福をもたらしえぬであらう。死において生の完結を考へぬ思想は、所詮、浅薄な個人主義に終るのだ」との信念を述べていた。その言葉どおり、福田さんは、「生」とともに「死」について、考えぬいた文学者・思想家だった。そのうえで、自分は「死など少しも怖れない」と述べたこともあっただろうと、逸氏は言った。

しかし、逸氏は、この講演のなかで、最後の入院中の福田さんについて語りついだ。自分の死期を悟った福田さんが、ある日、病院に見舞いに来た福田夫人に向って、死んでいくのは「怖い」と言ったというのだ。

これを聴いてわたしは「あっ」と思い、強い感銘を受けた。それで講演のあとの質疑のときに、人生で二度目の挙手をした。昔、福田さんの講演「処世術から宗教まで」を聴いたあと、会場から手を挙げて質問したとき以来、二度目の挙手だった。そして、こう質問した。

「恆存先生が最期に『死ぬのは怖い』とおっしゃったということを聞いて、わたしは心から感動しました。ところで、かつて恆存先生とごく親しかった小林秀雄さんは、一説によると、死を目前にしたとき、妹さんの導きでカソリックの洗礼を受けたとうわさされたことがありましたが、ひところ、自分は『カソリックの無免許運転』と自称されていた恆存先生は、どうだったのでしょうか」と。

これに対する逸氏の答えは、たしかにカソリックの無免許運転と言っていたことはあるけれど、死ぬ前に洗礼を受けたということはなかった、と明言した。

人間をいつかかならず見舞う「死」について、福田恆存は、ほとんどの日本人と同じように徒手空拳で立ち向かったのだと思われる。そして、人智を越えた大いなるものからの、避けがたく理不尽な一撃に直面したとき、「生」と「死」についてあれほど考えつくした福田恆存でも、「怖い」と感じ、その思いを率直に口にしたというのだ。このことは、逸氏がその後刊行した評伝『父・福田恆存』のエピローグでも再度確認されていた。

わたしは、いつか自分にもその日がめぐってきたとき「怖い」と感じてもよいのだと知ったことは、どんなに大きな救いとなり、慰めとなるだろうと思った。あの比類のない思想家である福田恆存でさえ、宇宙的生命体としての避けがたい宿命を、「怖い」とおののきながらも、甘んじて受容し、敬愛したD・H・ロレンスの世界観に殉ずるようにして、悠久のコスモスの中へと回帰していったのだと思えば。

3

コトバが事物を存在させる、コトバがなければ世界は存在しない

ニーチェ、ハイデガーを超える知の巨人井筒俊彦

わたしは、福田恆存の「残るくまなく科学化された自然」という指摘に目から鱗が落ちる感銘を受けた。さらに、人間がみずからの物質的欲望を満たすために遂行してきた「自然の再組織」は、明らかに世界創造における神の立場と等しい、との立論に大きな衝撃を受けた。そうだったのか、これで世界と人間に関する根源的な仕組みが少し明らかになった、と直観した。人間が、神になり代わって「世界創造」した「もう一つの自然」への気づきである。

では、人間のあらゆる生存の基盤となっている自然が、神の創造した太古のままの自然と、人間が科学というコトバによって分節＝再組織化したもう一つの自然、という二重性をおびて存在しているというのはどういうことか。

これまでわたしの目には、自分の目の前に広がっている自然ないし環境世界は一つにしか見えなかった。それが、二重に重なって存在しているとはどういうことか？　仕事をしながら折につけそのことを考えているうちに、一つの機会が訪れた。学術文庫の企画を依頼するために、日本の誇る世界的な碩学井筒俊彦を訪れたとき、一九八八年のことだった。

井筒俊彦は、知る人ぞ知る世界的な大学者である。アカデミズムの世界では、ユングやエリアーデらにつづいて、宗教、神話、哲学における人間の心の多様な現われを研究する国際的会議であるエラノス会議の会員に名を連ねた比類なき碩学として、高名な存在だった。が、専攻がイスラーム思想・東洋哲学という専門度の高い分野なので、一般の人びとによく知られているとはいえなかった。わたしも、日本国内より世界で有名な偉い学者だということを聞きかじっていただけで、その学問の真髄について理解していたわけではなかった。しかし、時折訪ねるようになってから、さまざまな場面で見聞きする井筒さんは、日本が世界に誇る偉大な学者であり、比類のない大哲学者であることがわかってきた。

作家の司馬遼太郎は、語学の天才といわれた井筒さんについて、驚きの証言を紹介している。井筒さんが亡くなったときの雑誌記者の追悼文のなかの言葉だという。一九八三年に井筒さんと司馬氏がそろって朝日賞を受賞した折に、記者が直接、井筒さんに確かめたときの答えだそうだ。

井筒さんには、若いころから世界の三十数ヵ国語を自在に読み書きすることができたという伝説があった。それらを駆使して古今東西の古典を原語で自由に読みこなし、哲学・東洋思想・言語論・哲学的意味論の研究を進めているとの評判があった。そのことをふまえて記者は、本当に三十以上の外国語ができたのですか、と聞き質したという。それに対

する井筒さんの答えは、

「いや、ほとんど忘れましたよ。いま使えるのは、英、仏、伊、西（スペイン）、露、ギリシャ、ラテン、サンスクリット、パーリ、中国、アラビア、ペルシャ、トルコ、シリア、ヘブライ語ぐらいなものです」

というものだったという。これを聞いた記者はただただ驚嘆するばかりだった、と司馬遼太郎は記している（「アラベスク―井筒俊彦氏を悼む」〈『中央公論』一九九三年三月号〉）。

そんな井筒さんのことを司馬氏は、「インドやイスラムをふくむ東西の哲学の全き理解者」であり、「おそらく世界の人文科学史上、唯一で最初のひとだろう」と、この上ない賞賛の言葉を捧げている。

いっぽう知の巨人といわれた立花隆は、大学卒業後、文藝春秋社での雑誌記者生活に飽きたらなくなってやめたあと東大の哲学科に再入学し、ギリシア語、ラテン語などを学びながら、哲学の原典を読む日々に明け暮れていたときの話を『井筒俊彦著作集』（第七巻中央公論社）の月報に書いている。原典購読のほかにペルシア語・ヘブライ語・アラビア語・イタリア語などの語学と格闘しながら、将来は哲学関係の学者にでもなろうかと考えていたという。

ところがそんなある日、「古本屋で井筒俊彦の『神秘哲学』を手にとり、愕然とした」

と立花隆は記している。「ここに、私がいつかやってみたいと夢見ていたことをすでにやってしまった人がいる」と思い、本文を見てみると、語学の力がついたらいずれは読んでみなくてはならないと思っていた文献を、みな読んでしまっているではないか。「特にプロティノスが読みこなされていることは驚きだった。……これはもうとてもこの人にはかなわないと思った」。井筒俊彦を知ってから、哲学の学者になろうなどという考えをきっぱり捨てた、と立花隆は書いている。

そのほかにも、江藤淳、大江健三郎、丸山圭三郎など、文学・哲学の錚々たる知性が井筒さんへの尊敬のことばを記している。が、わたしは、丸山圭三郎さんに井筒邸から帰るタクシーの中で直接聞いた、フランス現代思想の巨匠であり世界的に高名な哲学者のジャック・デリダを井筒さんのところへ案内したときのエピソードを印象深く憶えている。

来日したデリダから丸山さんに、井筒俊彦氏に会いたいというリクエストがあったので鎌倉のお宅に同道したときの話だという。お宅に着くまではいつもと変わらない様子だったデリダが、通された応接室に井筒さんが現れると、脇にいた丸山さんがびっくりするほどの敬意を全身に表わしながら、「マイスター」と呼びかけた、という。

「マイスター」というのは、直訳すれば「巨匠」というような意味だと思うが、「先生」という呼びかけを超えた敬意表現なのだろうか。それはわたしにはよくわからないが、とにかくあのデリダが、全身に最大級の敬意をみなぎらせて挨拶している姿を目の前にして、丸山さんは強い印象を受けたと話してくれた。

その丸山圭三郎自身、ソシュール研究で世界的に知られた言語哲学者だが、深く敬愛した井筒さんのことを、「西欧哲学にラディカルな視座転換をもたらしたといわれるニーチェ、ベルクソン、ハイデガーらをもはるかに超える」「何百年に一人しか出ないような知の巨人」だと称えた。驚いたわたしの表情に気づくと、丸山さんは真顔になって、「いや、これはけっして大げさな表現ではないのです」と力をこめて付け加えた。

井筒俊彦は、一九七九年のイランのホメイニ革命の前夜、それまで所属していたイラン王立哲学アカデミー教授を辞し、最後の日本便となった飛行機で帰国した。いまにして思えば、こわいもの知らずというか、知らぬが仏というのか、その帰国されて間もない井筒さんのところへ、わたしはのこのこ訪ねて行ったことがあった。

ずっと以前、井筒さんが教授をしていた慶應義塾大学の出版会から刊行された『アラビア語入門』が名著で、何十年もたった現在でもこれにまさるアラビア語の指導書はない、と立花隆が絶賛しているのを読んで、学術文庫に収録させてもらおうと思ったのだ。

これも後でわかったのだが、岩波書店でも中央公論社でも、ほかの出版社はどこも井筒さんのところへは編集の重役か、中央公論社なら嶋中鵬二社長がみずから打ち合わせに足を運んでいた。そこへまだ三〇代前半のぺーぺーの文庫担当者が訪ねて行ったわけだが、井筒さんは少しも分けへだてすることなく、いつも快く会ってくれた。

アラビア語にも東洋思想にもなんの心得もない幼稚な編集者の訥々とした依頼を聞き、井筒さんは、頼りないやつだと思っただろうが、笑いながら『アラビア語入門』の学術文庫化を許諾してくれた。ところが、社に戻って製作部や印刷所と具体的な製作方法を検討してみると、本文に頻出するアラビア語の書体が、当時K社に出入りしていた印刷所では手に負えないことがわかった。また、原本から複写する方式でも予算がかさみすぎて、社内の同意を得られなかった。

結局、井筒さんとの初仕事は、こちらから依頼しておきながら取り下げるという、まことに恥ずかしい結果となってしまった。穴があったら入りたいとはこのことで、ひたすらお詫びをして、学術文庫への収録を辞退させてもらうという、面目ない結果に終わった。それから間もなく異動があり、わたしは単行本の部署に移ったため、せっかくの井筒さんとの縁も途切れてしまった。

その後一九八八年に、六年ぶりに学術文庫の編集にもどってきたとき、わたしは心機一転して新しい仕事に取り組むなかで井筒さんのことを思い出し、もう一度その著作を収録させていただくお願いをしようと思い立った。しかし、以前あんな失礼なことをして信用をなくしているから、ダメかもしれないと思いながらも、なんとしてもその著作を収録させていただきたい一心で、わたしは六年前のお詫びを書きつらね、さらに当時品切れになっていた評論『ロシア的人間』（北洋社）を学術文庫に収録させていただきたい旨書き添えて、お願いの手紙を差し上げた。

日ならずして返事をいただいたが、なんと、お願いした『ロシア的人間』は、タッチの差で中央公論社の文庫に収録することが決まってしまったところだった。中央公論社は当時、井筒さんの著作集を出させてもらおうと、嶋中社長が先頭に立って井筒邸へ通っていた。

井筒さんからの返事の葉書には、「偶然か、十日ばかり前　中央公論社から中公文庫に入れたい旨　申し入れがあり、正式に承諾してしまいました。まことにお気の毒ですが、今ではどうしようもありません」と書かれていた。

しかし、井筒さんは、わたしの以前の非礼のお詫びに対しては、「『アラビア語入門』の件などお気になさることなど全然ありません。……いずれ将来　機会がありましたら　何かをと、考えます」と書き添えてくれていた。これに勇気づけられて、わたしの鎌倉詣でが始まった。

日常的経験世界はコトバが分別した幻想である

司馬遼太郎やデリダが最大級の敬意を払っていた比類のない東洋の知の巨人、井筒俊彦は、幼少のころより、卓越した禅者であったご尊父からきびしい禅の内観法の手ほどきを受けたと『神秘哲学』（人文書院）第二部の「序文」に記し、その内容について明かしている。

それによると、ご尊父はまず若き日の井筒さんに、墨痕も鮮やかな「心」の一字を書いて与え、毎日一定の時間それを凝視させた。やがて頃合を見計らってその紙片を破棄させると、今度は紙に書かれた文字ではなく心のなかに書かれた文字を一瞬の休みもなく凝視するよう命じ、さらに時がたつと、次には心中の文字ではなく文字の背後に自分自身の生きた心を見るように命じた、という。そしてついには、「『汝の心をも見るな、内外一切の錯乱を去ってひたすら無・心に帰没せよ。無に入って無をも見るな』といった具合であった」と振り返っている。

こうした厳しい内観の修養の中で、井筒さんは自己の内面と徹底的に向き合う体験をしたと思われる。己れを極限まで凝視し、自我を去って無に至るような、言語を絶した体験。

その連なりを脱けたとき、ある超越的・神秘的な境地を体得したのではないかと推察される。そうして味識した「脱自的観照体験」が、以後の井筒さんの哲学・思想研究の原点となったようだ。

『神秘哲学』のなかで井筒さんは、真の観照体験を知らない者が、深い哲学的思惟や宗教的真理の核心に近づくことの不可能を、さりげなく、しかし断固として、繰り返し確言している。それは、イエスやムハンマドといった人類史の中の偉大な宗教者はもちろん、ヘラクレイトス、パルメニデス、プラトン、アリストテレス、プロティノスのような傑出した哲学者・思想家の思惟の根柢にも、必ず「脱自的観照体験」による超越的かつ神秘主義的な叡慮が厳然として横たわっている、と井筒さんが確信しているからであろう。

井筒さんにとって、学問とは、特に哲学・思想の研究とは、単なる学問のための学問とは本質的に異なる業だということ。井筒さんのその確信は、若き日の自らの壮絶な「脱自的観照体験」に淵源していることと推察されるのである。

そうした深い東洋的精神主義の素養の上に、のちには、むしろそのような教育への反発もあったのかと想像されるが、西洋の思想に強い憧れを抱いて、西欧文化の源泉である古代ギリシアの文学・哲学の研究に赴いた。さらにアウグスティヌス、スコラ哲学へと進んでいく過程で、ギリシア哲学と並んで西洋の思想・哲学に大きな影響を与えたイスラームの宗教思想に出会い、没頭して、二六歳のときには最初の著作『アラビア思想史』を著わした。また、のちには『コーラン』のアラビア語原典からの初めての日本語訳を完成させた。

さらには、ユダヤ教の神秘思想を伝える伝承であるカッバーラーからインド古代哲学の奥義書ヴェーダーンタ（ウパニシャッド）、大乗仏教の唯識と華厳、中国の老荘思想など、あらゆる東洋思想の原典を原語で究めていった。司馬遼太郎の言葉を借りれば、「世界の人文学史上、唯一で最初の」知の巨人ということになる。

だから、わたしのような無学というのも恥ずかしいような者にとっては、ロクに受け答えのできるはずもなく、そばに寄るのさえ恐れ多い巨大な高峰だった。しかし、松原秀一元慶應義塾大学教授、牧野信也元東京外国語大学教授をはじめとする錚々たる弟子たちが、実に怖かったという井筒さんだが、一介の縁無き衆生にすぎない若輩の編集者にはもともとなんの期待もしていないから、わたしが時折電話をすると、「いつでも遊びにいらっしゃい」と会ってくれた。

イランから帰国したあと井筒さんは、これまでの博大な研究の集大成を目指し、東洋思想の「共時的構造化」という前人未到の偉業に挑んでいた。一口に西洋思想と東洋思想というが、西洋思想が究極的にはギリシア哲学を源流とするヘレニズムと、ユダヤ-キリスト教に発するヘブライズムの二つにわりとシンプルに帰着するのに対して、東洋思想の方はそう簡単ではない、と井筒さんは書いている。

実際に手がけていただけでも、普遍的本質「マーヒーヤ」と個別的本質「フウィーヤ」が対立するイスラーム哲学の存在論や原子論にはじまり、渾沌という「カオス」ないし「アンチコスモス」をめぐっての老荘思想の本質論、古代インド・ヴェーダーンタ哲学の絶対無分節的実在者であるブラフマンの哲学、「言語アラヤ識」の根底に宿る存在分節の働きを窮めようとする大乗仏教の唯識哲学と華厳の思想等々。

井筒さんは、「わたしがいま進めているのは意味論の研究です」と言っていたが、旧約聖書「創世記」や「コーラン」をはじめ、唯識哲学、ヴェーダーンタの哲学、大乗仏教哲学など、数多の東洋思想の原典を博引しながら、人間の言語が意味分節＝存在分節を第一の本源的機能としていることを、その著作のなかで繰り返し論じていた。

「人間のコトバによる意味分節＝存在分節」とはどういうことかというと、わたしたちがふつうに「現実」と呼び、確実に実在する世界だと思っているこの「日常的・経験的世界」について、初期大乗仏教の思想や古代インド哲学はその実在性を否定し、人間のコトバによって妄想的に分別された所産に過ぎないと考えているのだ、と解説されている（「文化と言語アラヤ識」「マーヤー的世界認識」）。

さらに、イスラーム哲学の古典を解読しながら、まだ空間も時間もない太古のときに神のなかに創造への意欲がわき起こり、最初の被造物として「光」を創造した記述が引かれる。「光」のなかに神が息を吹き込むと、「光は声を発した。その声は『あれ！（kun）』というコトバであった。こうして、神の許しを得て、（コトバが）あった」という箇所を引用したうえで、「神は、もともと、コトバの意味形象喚起機能（＝存在喚起機能）の神格化」だったのであり、コトバには存在喚起（＝世界創造）への傾向性が内在すると考えられていた、という事情を明らかにしている（「コスモスとアンチコスモス」「イスマイル派『暗殺団』」）。この「コトバの意味形象喚起機能（＝存在喚起機能）」という概念は、井筒さんが論考を展開するときの基本的な前提となっていたように思われる。

井筒俊彦の小さな名著『マホメット』

そんな井筒さんが身を削るようにして思索を深めている姿を、ただただ敬愛の思いで振り仰いでいたある日、以前「いずれ将来機会があったら何かを、と考えましょう」と約束してくれていた答えとして、井筒さんが四〇歳になったばかりのころ弘文堂のアテネ文庫に書き下ろした『マホメット』の復刊の話がもちあがった。この本は一〇〇ページちょっとの小冊だが、若き日の大江健三郎が、大学時代の恩師の渡辺一夫の『フランス・ルネサンス断章』と並べて、「『マホメット』の情熱的な文体は、青春時の僕にしるしをきざんだ」重要な著作であった、と思い出を綴っている名著だったから、もちろん大喜びで刊行させていただくことにした。

この本で井筒さんは、イスラームとはどんな宗教か、マホメット（ムハンマド）とは世界史にとってどのような存在だったのか、を描き出すにあたって、既刊の伝記や研究書が試みていない視点から取り扱ってみたいとの決意を述べていた。具体的には著者は、ムハンマド出現以前のアラビア遊牧民（ベドウィン）の部族社会の在り方と精神生活から説き起こす。こんな書き方をしたムハンマド伝は、これまでどこにもなかった。

執筆当時、まだ三十代半ばだった井筒さんの若い情熱を捉えていたのは、イスラーム生誕以前のアラビアの、ベドウィン詩人たちによる、勇壮にして美しくも儚い詩歌の調べだった。沙漠を吹暴する烈風、蒼天に纏れて光る星屑、厳しくも美しい自然のなかに生きる剽悍不羈の男たちの、戦闘と歓楽に明け暮れる人生。第一級の詩人たちによる珠玉のような抒情詩編のうちには、当時のベドウィンたちが置かれていた文化状況と精神生活が雄勁な詩句とともに歌いとめられていた。その結果、この稀有の「マホメット伝」は、ゲーテも絶賛したという比類なきアラビア詩歌をみちびきとする、一種の鮮烈な歌物語として展開されていく。たとえば、アラビア沙漠の無法者の双璧と謳われた豪勇無比の詩人タアッバタ・シャッランの詩は、以下のようである。

艱難辛苦おそうとも、弱気は見せぬ豪の者、
　鬱勃たる野心、その欲望はとどめなく、やれば何でもやりとげる。
晨にこの沙漠を征くかと見れば、夕べには早やかの沙漠に出没し、
　裸馬でも駆るように死地を平気で駆け廻る。
足にまかせて走り出せば突風よりもなお早く、
　風ぼうぼうと吹き荒れる中を悠揚として進み行く。
睡気の糸にその両眼を固く縫いつけられたとて、
　心眼は爛々と見開いて片時の油断もなしに見張りする。
鋭い刃をギラリと抜いて敵の胸骨深く抉れば、
　げらげら嗤う死神の口に光る奥歯が仄見える。
粛寥たる荒野がその無二の友。彼の行手を導くは、
　ああ、仰ぎ見る蒼穹に縺れ乱れる星屑ばかり。

イスラーム以前のアラビア社会を「ジャーヒリーヤ（無道時代）」という、と井筒さんは解説している。当時のアラビア人は、過去の慣行と血の繋がりを何よりも重視する部族社会のなかに生きていた。彼らはするどい感覚をもつ現実主義者で、永遠の命を手中にしたいという願望を抱きながらも、それが叶えられぬからにはせめて与えられた短い人生をできるだけ楽しく暮らさなければ甲斐がない、という刹那的快楽主義の生き方を選んでいた。その結果、彼らの一生は部族間の反目、戦闘、流血事件の繰り返しだった。血の復讐こそが聖なる義務となり、自暴自棄の戦闘とその合間の肉の快楽に惑溺していた、と描写されている。

当時、北方から入り込んできたキリスト教徒の酒商が沙漠の諸処に酒店を開いて、夜毎ベドウィンの若者たちを歓待していた。

「酒屋の天幕は沙漠の歓楽境だった。そこには『かんばせ星のごとく輝く』若者が朝な夕な集り来って舌の痺れるような酒をくみかわし、香をたき、脂したたる肉を食い、粧(よそおい)こらしたペルシアやシリアの妖艶な歌姫に尽きせぬ悦楽の秘事を探るのであった」と著者は、哀切きわまる詩歌の調べとともに描き出している。

無道時代のアラビア沙漠の人々は、精神的に完全に行きづまっていた、という。もしここで救われなければ彼らは精神的に破滅するよりほかはなかった。深いペシミズムとうらはらの刹那的な享楽主義。破滅寸前の危機に立つ青年層を救い出そうと立ったのが、ムハンマドだった、と著者は位置づける。

ムハンマドは、瞬間的な享楽主義へと通じていたアラビア人の人生の無常、存在の儚さに対する哀傷の気持を、一転して、悔い改めの方向へと導く。「審判の日の主」に対する深い懼れ。現世の快楽のみを求めてやまない人々の浅ましい欲望を非難し詰問し、全知全能の神、天地を創造した唯一神への絶対的帰依を受け入れさせる。その背景には、セム族に特有の「審判の日」への黙示録的感覚があった、と著者は叙述している。

ユダヤ人などとともにセム族に属するアラビア人は、強固な現実主義者であると同時に、妥協を知らぬ感覚主義者であった、と分析される。自分の眼で見、自分の手で確かめたものしか信用しない。そのようなセム族の人々の頑固な思い込みを転換させる方法は二つしかなかった。本書に先立って書かれたもう一つの「マホメット論」〈世界史講座第5『西亜世界史』〈弘文堂書房〉所収〉で、井筒さんは次のように述べている。

「すなはち敢然として此の感覚主義を克服し、此のセム根性を一挙に高く超越し去るか、或は逆に此の感覚主義を飽くまで深く掘り下げ、之に徹することによって、…全く新しい世界を伐り開くか、いづれか一つを選ぶより仕方がない」と。

第一の道をとったイエス・キリストのことを、「あの烈しい現実主義の真只中に在って而もよく『我が国は此世の国に非ず』と叫び得たイエスの精神力に我々は感嘆の言葉を惜しまないのである」と高く評価したうえで、しかし「当時、イエス出現の噂に四方から雲集し来った民衆の大部分は、ただイエスの奇蹟にひかれて集ったに過ぎ」なかったから、セム的感覚主義の前で「彼の道はやはり荊棘の道」に行き着く運命は避けられなかった、と哀惜している。

一方、セム的感覚主義を知り抜いていたムハンマドは、イエスのように高く超越して克服しようとするのでなく、反対にこの「セム根性」を敢えて掌中のものとして、まったく違った方向へと導いた。つまり、ムハンマドは、人々が求める奇蹟を最初から否定し、自分は他の人々と何も異なるところのない「肉の」人間であることを公言した、という。そのうえでムハンマドは、神の真の徴は一見平凡に見えて、普通は人々が気づかぬほどの事物のなかにあるのだと語りかける。

「徴は天地至るところに在るではないか。流れる水、空ゆく風、海上を走る舟、飛び行く鳥、乾き切った大地を一瞬にして蘇生させる春の豪雨、山は高く沙漠は広漠と拡り、動物は生きている、これ等は考へて見れば実に絶妙なる不思議ではないのか」と。

ムハンマドは、ありとあらゆる沙漠の事物生物の一つ一つが、驚くべき奇蹟であることを意をつくして語ってゆく。「これにはアラビア人も深く感動しない訳にはいかなかった」と著者は記している。「ムハンマドに教えられて人々は全然違った眼を以て自分の周囲を見回した。そしてあらゆる自然のものに神の栄光の輝くのを見て深い感激に包まれるのであった」と。

こうして、それまで迷信邪教の巣窟でしかなかったアラビアが、始めて「宗教」と呼ばれるにふさわしいものに向かって開眼された。前イスラーム的部族社会の価値観だった生まれと血統の優越性は、無価値なものと化した。以後、人間の高貴さは、生まれや血統から来るものではなく、ただひとえに敬神の念の深さによって計られることになる。その結果、万人の平等と同胞性に基づくイスラームの社会理念が成立することになった、と著者は結論づけている。

『マホメット』は、小冊ながら、ムハンマド出現以前のアラビアの部族社会の在り方から、イスラーム成立にいたる経過を、当時のアラビア人の内面生活から捉えた比類のない名著である。その叙述の第一の特色は、全編にちりばめられた著者自身の訳業になる美しくも鮮烈な詩歌群である。加えて、リズムと格調をそなえた詩情豊かな達意の名文が、読者の心をときめかせ、まだ見ぬアラビア文化への異教的エキゾティシズムをかき立てる。

第二に、イスラームという世界宗教が誕生してゆく必然性を、当時のアラブ社会の民衆の精神生活、そのセム的在り方から導き出す筆致に、読む者は、著者の学的探究の独創性とスケールの大きさを実感するだろう。

さらに、イエス・キリストとムハンマドという二人の預言者が、ユダヤ人とアラビア人という同じセム族の民衆に向かって取る両様の宗教態度、観念主義的理想主義と感覚主義的現実主義の対比・分析に、他の研究者から一頭抜きん出た、著者ならではの実存的な問題意識と独自の哲学的視点を見出すことができる。

それは、冷静で客観的な学問の文体というよりも、自らの実存をかけた詩的・存在論的情熱の文体となっている。あえて言えば、「道」を求める文体といったらいいだろうか。すなわち、井筒さんにとって学問とは、単に対象を理論的に研究することにとどまらず、それを通して自己自身をこの上なく厳しく見つめ、徹底的に追究する「道」なのであると思われた。

ともあれ、そんな日々のなかで、『マホメット』は学術文庫に収録されることが許された。本のはじめのところで、井筒さんは、七世紀のイスラームの成立は、「キリスト教会にしてみれば口惜しかったのも無理はない」と記している。「もう少しであわよくば世界の大半を易々と自分の支配下におけるはずだったのに、突然思いもかけぬところからマホメットという怪しげな男が出てきたかと思うと、その男の起した宗教が……忽ちにして、シリアを取り、エジプトを取り、メソポタミアを取り、ペルシアを取り、インドを取り、北アフリカを取り、ついにはスペインまで見る見るうちに席捲してしまったのだから」と。

当時、地上の大半を占め、世界史を主導してきたヨーロッパ–アラブ世界が、キリスト教会によって一つに統一されたほうが人類にとって平和だったのか、それともムハンマドの興したイスラームによって世界史は多様な文化を得ることができ、そのために人類の文明は、今日見るような多様性と可能性をいっそう拡大しえたのか。多様性には当然、摩擦や紛争が伴うことになるが、歴史に「ＩＦ」はないというけれど、どちらがよかったのか、その問いにはだれも答えることはできない。

ともあれ、前世紀末から今世紀初頭にかけての湾岸戦争や９・11同時多発テロを経て、現在のウクライナ戦争にいたる第三次世界大戦前夜ともいえる「文明の衝突」状況の混迷のなかで、いまやイスラームの信仰や思想哲学、そしてアラブの人びとの生活様式を正しく理解することは、二一世紀以降に生きる私たちに欠かせない前提となっている。そのためにはアラブ文化とイスラームの本質、その創始者ムハンマドの人間を理解しなければならない。小冊ながら『マホメット』は、その課題についてもっとも的確かつ簡潔に考察した基本図書として、いまなお犀利な存在感を放ちつづけている。

世紀末――ゴーギャンの奇妙な問い

あのころ一九八〇年代の日本では、思想・学問から文学・芸術、ひいてはコマーシャリズムの世界まで、文化のあらゆる分野を横断して、「ポストモダン」という言葉が流行語となっていた。井筒俊彦さんをお訪ねするうちに、井筒さんもこの言葉に強い関心を抱いておられることがわかってきた。私は、井筒さんが「ポストモダン」という言葉を口にされるたびに、その用語のもついささか軽躁な響きが、井筒さんの重厚な学風とそぐわない気がして、いつも軽い戸惑いを感じたことをおぼえている。

「ポストモダン」はその後次第に矮小化され、ついにはバブル時代に狂い咲いたアダ花のように総括された。わが国の思想学問の現場で昔から繰り返される「様々な意匠」の一つに過ぎず、思想の輸入業者が買いつけた一過性の流行思想の新種として、あっという間に消費されたようで、いまではもう賞味期限がすぎた意匠として人々の口の端に上ることもほとんどなくなった。

しかし、井筒さんの受け止め方は、少し違っていた。輸入思想には違いなく、「ポストモダン」という名づけは軽く感じられるが、本質は哲学・思想の根源的な変革の顕れとして、積極的な評価をされているように感じられた。つまり、後述する丸山圭三郎や今村仁司が追究していたような、ソシュールに発する言語論的転換を起点とする、認識論と存在論の革新こそ「ポストモダン」の本質と捉えておられたのではなかったか。そしてそれは、世界と人間を見つめる文化の枠組み（パラダイム）を更新する、真に根源的な現象だと考えておられるようだった。

「ポストモダン」は、一過性の過ぎ去っていく流行意匠ではなく、今後の世界と時代の思想・学問を支える基盤、文化の根柢を貫流する地下水脈だと捉えられているように感じられた。

一九九〇年代に入ると、世紀末が近づいたことにより、「近代の終わり」「歴史の終わり」に人びとの関心が集まっていった。世界は、ソ連の解体による冷戦構造の崩壊＝イデオロギー対立の終焉を直接的なきっかけとして、大きく変貌しようとしていた。さらに世界的な構造改革の根柢には、エレクトロニクス技術の急激な発達による、グーテンベルク時代からインターネット時代へのメディア革命があって、新時代の到来を先導していた。世界の政治・経済・社会・文化のあらゆる局面で、主役の交代・更新が行われはじめていた。

人類は長い間、飢餓の恐怖、権力者による専制と隷従に脅かされてきた。近代という時代精神は、飢餓と専制からの解放を目指して進んできたはずであった。それなのに、現実の近代は、戦争と流血、貧困・格差と殺戮をむしろ増幅させた。希望の二〇世紀は、結果として、アウシュヴィッツの悪夢とヒロシマ・ナガサキの惨劇を招き寄せた。

さらに、平等と人権の尊重を目指したはずの社会主義には、スターリンの収容所群島や毛沢東の文化大革命・ポルポトの大量殺戮という、無残なメカニズムが内蔵されていたことを露呈した。植民地主義によって収奪されつづけたアジア・アフリカ・中南米地域の貧困と戦乱は衰えを見せず、むしろ資本主義の勝利によって収奪と格差はますます拡大しつつあるように見えた。

他方で、飢餓と貧困の克服を目指したはずの科学技術と産業経済の進歩は、あるとき突然のように資源・エネルギーの限界に突き当たり、地球の汚染と環境破壊という取り返しのつかない事態を浮かび上がらせた。人間の文明は、科学技術と産業社会の発展とともに進歩し、やがては豊かで平等で平和な社会が到来するだろう、という文明の進歩への信頼は、急速に色あせていった。さまざまな近代システムが、諸方で行き詰まりを見せていた。ヨーロッパ文明に先導された近代への、根本的な疑問が暗影を大きくし、反省を迫っていた。

問題はあまりに根源的で、巨大にすぎた。たんに政治や経済の表面を修復するだけで解決するとは考えにくい事態だった。おそらく、人間文明の始まりにまでさかのぼり、政治経済や科学技術のシステムの基になっている人類文明の原理と方法、つまり認識論や存在論・言語論といった根源的な哲学の面から考え直してみることが必要だと思われた。

そう思いいたったときわたしの目に、いち早く近代という時代精神の欠陥と危険性を察知した最先端の知性といわれるような人びとが、異議申し立てと警告の声を発していたことが見えてきた。近代主義の思想・哲学を乗り超える新しい認識論や存在論・言語論への取り組みが始まっていた。学問・研究の在り方を根本から転換させようとする試みが進んでいることに気づいた。

近代主義の根底をなしている主体主義、歴史主義、社会進化論的な考え方への根源的な批判が提起されていた。その代表が、「構造主義」と「ポスト構造主義」の思想であった。それは、実体論・実在論から関係論への転換であり、主体主義＝人間中心主義の問い直しであり、ヨーロッパ中心主義に対する異議申し立てだった。

私が勤めていた出版社では、一九七〇年代の後半に、「人類の知的遺産」という全八〇巻の大型の思想全集を刊行したことがあった。この企画は、古代ギリシア、インド、イスラエル、古代中国の思想から中世ヨーロッパ哲学、イスラーム思想まで幅広く通観する全集だった。ヘーゲル、カント、マルクス、フロイトからベルクソン、ハイデガー、サルトルまで、世界のあらゆる地域・時代の思想家・哲学者を網羅的に解説する全集企画だった。レイシズムと核戦争の二〇世紀を経て、貧困・格差と環境破壊の二一世紀に成り下がってしまったのは、伝統的な思想・哲学、世界観・認識論・存在論の体系に根本的な欠陥があったからではないのか。世紀末を目前にしてわたしは、そのような問題意識にもとづいて、「人類の知的遺産」をふまえた新たな思想全集を構想しようとした。

「現代思想の冒険者たち」と名づけた新しい思想全集は、したがって「人類の知的遺産」の終わったところから、すなわち最後の近代主義者といわれるサルトルの実存主義・歴史主義の終わったところから、つまりサルトルを厳しく批判したレヴィ＝ストロースの「構造主義」から始まることを意味した。この現代世界の問題を根本から見つめ直す新しい世界思潮の動向を出版企画として具体化したいと考えたわたしは、総合的なプラン書を書いて会社に提案することにした。

そんなある日、たまたま時間つぶしをしていた社の図書館で何の気なしにゴーギャンの画集を手に取った。その中の一枚の奇妙な群像画に目が止まった。題名を見ると絵のタイトルとしては異例の長さで「**われわれはどこから来たのか　われわれは何者か　われわれはどこへ行くのか**」とあった。この謎めいた題名を読んだとき、瞬時に閃きが走った。ゴーギャンの制作意図とは違うのかもしれないが、これこそ「現代思想の冒険者たち」

の基本コンセプトだと直観した。わたしたち人間はどこからどのようにして出現したのか、またその本質とはいったいどのような存在なのか、そして行く手にはいかなる運命が待ち構えているのか――。その根源的な問いに答えるのが、この全集の使命ではないかという思いが浮かんだ。

それからほどなくして、井筒さんのお宅にうかがうことがあった。打ち合わせを終えて帰りしなに近況報告程度の軽い気持ちで、企画書の写しを井筒さんに手渡して帰った。もし企画が具体化すれば井筒さんにもご協力いただきたいと思う項目もあったからで、いつか暇なときにちょっとでも目をとおしていただけたらという期待がないわけではなかった。が、一方で、井筒さんが出版社の企画などという世俗的なものをご覧になるはずなどないだろうと思っていた。

ところが、翌日だったか、翌々日だったか、社にいたわたし宛に突然井筒さんから電話がかかってきた。直接電話をいただくのは初めてのことだった。うかがってみると井筒さんは、「企画書を読みました。よく書けています。私にできることがあれば何でも協力しますよ」とおっしゃってくださった。これには、本当に感激した。

企画案は、社の創業九〇周年記念出版の応募企画にB賞として入選した。しかし、具体化するまでに時日を要しているうちに、編集委員をお願いしようと予定していた、井筒さんを筆頭とする丸山圭三郎・廣松渉・河合隼雄といった方々が次々に鬼籍に入られてしまった。やむなく、最初の四人より一世代から二世代も若い今村仁司・三島憲一・野家啓一・鷲田清一の四人に編集委員を委嘱し、一九九六年に刊行を開始した。

マルクス・ニーチェ・フロイト・フッサールを扱う００（ゼロゼロ）巻『現代思想の源流』からハイデガー・ラカン・レヴィナス・アレント、さらにドゥルーズ・フーコー・デリダ・クリステヴァに至る、総計三十四人の思想家の哲学と生涯を概説した全三十一巻の全集だった。難解な現代思想・哲学を主題にした決して読みやすいとはいえない全集だったが、思いがけず好評で、三年がかりで刊行した三十一冊すべてが重版になり、平均一万部を超えた。

とにかくハードな内容なので、刊行に際して少しでも読者に親しみをもってもらおうと考え、付録の「月報」に、いしいひさいちさんに頼んで四コマ漫画を連載してもらった。これが評判になった。毎回、それぞれの哲学者の難解な思想を的確に咀嚼したうえで、鮮烈なナンセンスに落とし込んだ作品が、著者・読者をうならせ、哄笑をさそった。全集完結後に新作を加え『現代思想の遭難者たち』と題して単行本にすると、この全集の最大の成果ではないかという讃辞まで集まった。その後、手塚治虫文化賞短編賞を受賞し、講談社学術文庫の初めての漫画作品として収録され、現在までロングセラーとなっている。

ソシュール＝丸山のコトバの存在喚起＝世界創造機能

閑話休題、井筒東洋哲学の主題にもどると、その基本概念の一つである「コトバの存在喚起機能」という考え方が、スイスの言語哲学者フェルディナン・ド・ソシュールの言語哲学と極めて近い関係にあることを明らかにしたのは、わが国を代表する言語哲学者の丸山圭三郎だった。

丸山さんは、ソシュール言語哲学研究の第一人者として、海外にも知られる存在だった。「コトバ」こそが人間文化の根柢をなすという根本思想を抱き、ソシュールに深く傾倒していた。代表作『ソシュールの思想』（岩波書店）は、ソシュール研究の世界レベルの達成と評価され、他方、ソシュールの思想をかみくだいて一般向けに丸山言語哲学として説いた『文化のフェティシズム』（勁草書房）は、ベストセラーになっていた。以下、主としてこの二著に拠りながら、「言語の存在喚起機能」＝「コトバが事物を存在させる、コトバがなければ世界は存在しない」というソシュール＝井筒＝丸山の言語哲学について見ていこう。

ソシュールは、一九〇七年から一九一一年まで断続的に三回にわたって、ジュネーブ大学教授として「一般言語学」の講義を行った。その内容は、人間のコトバに関する古代ギリシア以来の考え方に根源的な転換を迫るおどろくべきものだった。しかし、一九一六年に『一般言語学講義』として出版された講義録は、ソシュール自身が書いた書物ではなかった。弟子たちによってまとめられたために、核心的な部分で多くの無理解と誤解を含んでいた。

講義する内容をソシュール自身がメモした自筆手稿や、講義内容を正確に書きとめた聴講者のノートが発見され公刊されたのは、講義録が刊行されてから四〇年以上もたったあとだった。これら信頼すべき新資料を深く探究することによって、丸山さんは、ソシュールとともに、人間のすべての営為を規定しているコトバの根源的な働きについて明らかにしていった。

丸山さんの著作はすでにいくつも刊行され、高い評価を得ていた。社会哲学者の今村仁司は、マルクス研究のルイ・アルチュセール、フロイト研究のジャック・ラカンと並べて、ソシュール研究なら丸山圭三郎が世界の第一人者だと位置づけていた。井筒俊彦も、丸山圭三郎の仕事を信頼していた。多くの人びとが高く評価する丸山さんの、そのような画期的な言語哲学のエッセンスを学術文庫に収録したいと願って実現したのが、『カオスモスの運動』という著作だった。

古来人間の本質を捉えて、ホモ・サピエンス（知恵あるヒト）、ホモ・ファーベル（道具を使うヒト）、ホモ・ルーデンス（遊戯するヒト）などさまざまな呼び方がある。が、丸山さんは、人間の特質を一言で言い表すとすれば、ホモ・ロクエンス（コトバをもつヒト）に尽きると考えていた。人間を他の動物から根本的に分かつ本質は、コトバを駆使すること。

丸山＝ソシュールは、人間のコトバを三層に分けて考える。まず人間が生まれながらにそなえている言語能力、すなわち具体的な事物をシンボル（記号）化する能力を「ランガージュ langage」と名づける。ランガージュは潜在的な可能性であって、そのままでは発効しない。ランガージュは、たとえば日本語、英語、フランス語などといった個別の言語システム（コード＝制度）の中におかれたとき、具体的な効力を発揮する。

ランガージュを発動させるそれら個別特定の文化的コードの体系を、「ラング les langues」と呼ぶ。「ラング」をさまざまな角度から研究して、普遍化・抽象化した言語一般のことは、「ラング la langue」と単数形で表わされる。人々は、ラングの約束に従ってコトバを発し、コトバを理解する。個々の人々によって発せられる具体的な音声の連続を「パロール parole」と呼ぶ。

つまり人間は、生まれつき備わっているランガージュという潜在力を、偶然めぐり会った特定のラング（母国語）を駆使して発効させ、日々の場面で具体的なパロールとして発話している。それが、丸山＝ソシュールの言語哲学の出発点である。

人間以外の動物は、外界からの刺激を種特有の感覚器官によって受動し、受動した刺激に対応する本能によって一定の行動を解発し、過不足なく生を全うしている。しかし人間は、本能ではなくコトバで世界の意味を識別（分節）して、自由に外界に働きかける。コトバで考え、道具を作り出し、世界を変えていく。コトバがなければ、考えることはできない。計画を立て、現実を改変させていく営みは、コトバをもった人間だけにできること。

ソシュール以前は、客観的な事物や世界がコトバに先立って実在し、コトバは事物に貼られた名札だと考えられてきた。人間は、既成の無数の名札＝名称目録によって意志の交換を図るのであり、コトバは、思考と表現の道具だと思われてきた。

しかし、ソシュール＝丸山が洞察したのは、コトバは単なる名札やコミュニケーションの道具ではないということ。コトバが分節しなければ事物はありえないし、世界も存在しない、という思いもよらない逆転だった。以後、あらゆる現代思想の前提となった、実在論から関係論へという広い意味での「言語論的転換」と呼ばれる事態である。

前述のように井筒さんも、人間のコトバが意味形象分節＝存在分節を第一の本源的機能としていることを繰り返し説いていた。わたしたちが「現実」と呼び確実に実在すると思っている経験的世界について、東洋の古典哲学はその実在性を否定し、コトバによって妄想的に分別された所産に過ぎないと考えていたことを繰り返し論じた。さらに、コトバの意味形象喚起機能（＝存在喚起機能）、すなわちコトバには存在喚起＝世界創造への傾向性が内在することにしばしば言及した。

丸山さんは、コトバが客観的に一定不変の意味＝指向対象をもってはおらず、実体に貼り付けられた名札ではないことを説明するために、太陽光線のスペクトルの例を挙げている。太陽光線のスペクトル、いわゆる虹は、日本では「赤・橙・黄・緑・青・藍・紫」の七色に分けられる。しかし英語では「purple・blue・green・yellow・orange・red」の六色である。ローデシアのショナ語では、三色だといわれ、客観的な物理現象と思われる虹でさえ、言語文化ごとに認識内容はまちまちであると指摘している。

また、日本語では、野山に茂っている青々とした樹木も机の材料になる木材も、両方とも「木」と言うが、フランス語では樹木は「arbre」であり、材木は「bois」と区別する。さらに「bois」は「森」を指すこともあり、コトバとそれが指し示す事物には何ら必然的な結びつきのないことを例示している。

「草」は、私たちの経験世界の中に客観的事物として疑いようもなく実在しているように見える。「草」は、客観的に実在する物をコトバが指し示すという、コトバと物の常識的な結びつきを示す好例のように思える。しかし、では「雑草」はどうだろう。「雑草」は、客観的に実在しているのだろうか。昭和天皇はかつて、生物学者として、「雑草」という植物はないと明言したが、それとはまた違う意味で、「雑草」は、コトバが分節した恣意的＝幻影的な虚構ではないだろうか。「雑草」というコトバを知らなければ、「雑草」は存在しない。

丸山さんは、「鬼」「河童」「龍」という語を引いている。これらの語は、それぞれ立派な意味をもつが、言語外のいかなる実体をも指し示しはしない。「幽霊」というコトバを知らなければ、「幽霊」を見ることはない。「雑草」も構造的には同じではないか。とすれば、客観的に実在すると思われた「草」も、実は、コトバが外界から恣意的に分節した意味の幻影に過ぎないだろう。こうして、井筒さんの言のとおり、「現象的存在世界全体が、一つの巨大な、宇宙的言語幻想に還元される」のである。

井筒思想の基盤である「コトバの存在喚起機能」が意味するのは、わたしたちの眼前に存在しているかに見える現実的世界はコトバによって分別されたヴァーチャルな所産だということ。それは、前章で見た福田恆存の「自然は残るくまなく科学化されている」という言明と重なり、人間が科学というコトバで再組織化したもう一つの自然の創造に等しいことを意味していた。こうして、井筒＝ソシュール＝丸山の「コトバの存在喚起機能」の理論によって、福田恆存の言う「残るくまなく科学化された自然」、人間が神に成り代わって創造した「もう一つの自然」の意味するところがようやく腑に落ちるのだった。

コトバという過剰な能力をもった人間の栄光と悲劇

コトバを追究することによって井筒＝ソシュール＝丸山が明らかにしたのは、人間がコトバによって外界を恣意的に分節し客体化しているという事実である。コトバによるこの人間特有のシンボル操作のことを、丸山さんは「言分け構造」と名づけた。動物が、身に備わった種独自の感覚器官と本能とによって環境世界（ユクスキュル）を分別し、過不足なく生死を全うしているあり方をいう「身分け構造」と対比した定義である。

コトバを持たない動物には、あるがままの自然しか世界はないし、生も死もない。「生死」はコトバをもった人間だけのもの。谷川俊太郎が詩ったように、「鳥は生を名づけない　鳥はただ動いているだけだ　鳥は死を名づけない　鳥は動かなくなるだけだ」。

人間は、持ち前のコトバ（＝シンボル化能力）によって不定形の外界に分節線を入れ、あらゆる生体験を、具体的な事物なり抽象的な概念として、言分け、存在させる。コトバのもつ差異化の作用によって世界は分別され、事物が存在を開始し、恣意的でヴァーチャルな価値体系としての人間文化が創出される。まさに「コトバが事物を存在させる、コトバがなければ世界は存在しない」のである。

ところが、人間が創り出したはずの文化が、一つの制度となって人間を規制し、拘束し、支配し始める。本来的には自由な存在であるはずの人間が、自らの手で非自由の世界を作り出し、それによって疎外され、抑圧される。そうした「言分け構造」のなかで支配されることを運命づけられている人間は、どのようにしたら支配を脱し、拘束から逃れ、再び自由への道を奪回することができるのか。

人間が生み出したコトバ＝文化が、人間に不自由を強いる「生の悲劇」となっていることについて、丸山さんは、川端康成の次のような言葉を引用している。

勿論、言葉は人間に個性を与えたが、同時に個性をうばった。……言葉の理解は人と人の間の契約による。言葉を表現の媒材とする小説は、故に「契約芸術」の哀しい宿命を持たされているともいえようか。いかように表現様式を革新しても、言語や文字では遂に完全な自由な表現を得ずに制約されている人間が、束縛者である文字や言語に対して、自由と解放を求めて拮抗して来た歴史が、文学上の新境地の開拓の歴史であったということも出来よう（『新文章読本』〈新潮文庫〉）。

徹頭徹尾その身を削るようにして、新感覚の日本語表現を追求しつづけた優れた文学者の言葉だけに、人間に完全に自由な表現は得られない、との諦念は重く感じられる。そしてこの言葉の奥には、次章で述べる一九〜二〇世紀のフランスの哲学者アンリ・ベルクソンの「言語不信論」と共通する認識が横たわっているように感じられる。

人間が自由を見出すための条件について、丸山さんは『カオスモスの運動』のなかで、コトバによる「言分け構造」の拘束性そのもののうちに自らの構造を突き崩し変革する「反構造的契機」を見出さないかぎり、脱出への道筋は開けないと記している。

遠い過去にコトバという「言分け構造」をもったことは、人間の栄光であると同時に悲劇でもあった。それまでは循環的な自然の中で、刺激→本能的反応という「身分け構造」の中で過不足なく生きていたヒトは、いつしか「言分け構造」をもったことによって、本能による「身分け構造」が壊れ始めた。そこから人間文化の数々の栄光と悲惨が生まれた。輝かしい文明も、芸術作品も、栄光の月世界到達も、そして、おぞましい原子爆弾も、環境破壊も、すべてその例外ではない。

動物とも神ともつかぬ不完全な存在と化した人間の、脳内になお残留する本能の残滓は、秩序を失って迷走し、行き場をなくした過剰なエネルギーとして意識下にうごめいている。

コトバによって分別された「コスモス＝共同幻想」と、分別されずに無意識のなかでひしめく「カオス＝私的幻想」が必然的に同時発生する。

「コスモス」と「カオス」が共起し、コスモスから抑圧されて下降してくる文化的欲望と、壊れた本能で掬いきれずにカオスとなって噴き上げる無意識の動物的欲動とが集積する強烈なエネルギーのうねりを、丸山さんは「カオスモス」と名づけた。

丸山さんは、「カオスモス」のエネルギーこそ、拘束から脱出し、自由を求めてコスモスの再布置化を目指す人間の、新たな「言分け」の原動力となると考えていた。そのエネルギーが、硬直した既成のノモス（制度）を組み換え、新しい芸術創造や歓喜に満ちた祝祭的な世界の更新と、充実した生を生み出す動因になると位置づけた。

そして、硬直した秩序からの脱出を目指す「カオスモスの運動」は、一度限りの出来事であってはならず、絶えざる動きと変化を歓ぶ、永遠回帰の「生の円環運動」であると宣言している。

以上、井筒俊彦による東洋思想の共時的構造化の研究と、ソシュール＝丸山による現代言語哲学の理論が期せずして明らかにしたのは、コトバの意味形象喚起機能、すなわちコトバによる存在分節＝世界創造の働きだった。そしてそれは、「自然は一冊の本であって、その本は数学のコトバで書かれている」というガリレオの宣明に正確に照応するとともに、「残るくまなく科学化された自然」という福田恆存の指摘ともぴったり重なっている。人間のコトバは、太古以来の人間不在のあるがままの自然のうちに、原理・法則を読み取って数値化し、数量的な第二の自然を重ねて組織化したのだ。

人間のコトバの最高度の実践ともいえる理性ないし知性による「分析的思考」から「科学＝数理的思考法」が発達し、再組織化した第二の自然を操作して科学・技術文明の絢爛たる花を咲かせた。科学・技術文明は、人類を長い懸案だった飢餓から救い、豊かさを約束したように見えた。しかし、それは一時のことであって、さらなる豊かさと便利さを求めてとどまることを知らない科学・技術は、地球という有限の自然環境に向かって際限のない開発と経済成長を強い、容赦のない収奪を加え続けている。

「科学・技術」とは、世界と人間にとって、善なのか悪なのか？　その本質は何なのか？

次章では、「科学」の根本にひそむ不吉な暗部について見ていくことになるだろう。

4

科学＝数理的思考法には、原理的な欠陥がある

ベルクソンの「言語不信論」に注目した仏文学者平井啓之

いま振り返ると、「昭和」が間もなく終わろうとしているある午後のことだった。いつものようにわたしが編集室で仕事をしているところへ、交換から電話がかかってきた。つないでもらうと、受話器から訥々とした、少ししわがれた声が流れてきた。声は、せきこむように「ヒライヒロユキですが、学術文庫に収録してもらいたい本があるのです」と言った。「あっ、フランス文学の平井啓之さんだ」と直感した。

わたしはそれまで平井さんとは面識がなく、新聞に載った短いエッセイのようなものを別にすれば、まとまった著作を読んだことはなかった。しかし、フランス文学・現代思想の研究者として、とくにランボーやプルースト、ベルクソンやヴァレリー、サルトルなどについての業績は当然聞き知っていた。また、自らの学徒出陣体験を踏まえ、戦没学生の遺稿集『きけわだつみのこえ』を編纂したわだつみ会の理事として、不戦平和のために身を挺して活動しつづけていることも報道などで知っていた。それにしても、編集部にみずから無造作に電話をかけてくる飾り気のなさは、いかにも平井さんらしいなといっぺんに好感をおぼえた。

平井さんの学問は、フランス文学の中でも先端的な研究だったから、一般読者への知名度はそれほど高いものではなかっただろう。だが、専門家の間では、すぐれた業績と高潔な人柄が深く尊敬されていた。教え子や後進には、蓮實重彦・渡辺守章・菅野昭正といった錚々たる東大教授がいたし、自らも東大教授・立教大学教授を歴任した第一級のフランス文学者として知られていた。

一九六八年から六九年にかけての、いわゆる全共闘運動の口火となった東大闘争のさなかで、思想的には学生たちに共感を抱きながらも、平井さんは、大河内一男総長が退任したあとの教養学部の委員会の委員長の任にあったため、大学側執行部の一員としての任務を遂行した。思想的には学生をかばいながらも、立場上は規則に従って一部の幹部学生を処分せざるを得ないこともあったらしい。

闘争が終息して一切の処理をし終えると、平井さんは東大を辞した。まだ教授になって間もない、四十八歳の若さだった。東大闘争に関連して責任を取って身を処した人は、全共闘側にも教官の側にも、平井さんや東大全共闘議長だった山本義隆氏などを除くとそう多くはなかったから、世間は意外な思いでその知らせを聞いた。

辞めた理由について、わたしの知るかぎり、平井さんは何も書いていないし語ってもいないようだ。だがわたしは、のちに平井さんのお宅を訪ねて雑談していたとき、「学生を処分しているから」とつぶやくように言われたのをおぼえている。「学生だけをやめさせるわけにはいかない」と言っているのだなと察した。それが平井さんの信条、価値観であり、生き方であったのだろう。

東大教授を辞したあと、平井さんは生活のためにフランスのベストセラー小説『パピヨン』（河出書房）の翻訳を手がけた。スティーヴ・マックィーンの主演で映画化されたこともあって、日本でもベストセラーとなった。「経済的に助かったんだ」と苦笑していた。奇しくも『パピヨン』は、わたしが少年誌の編集部にいたころ、誌上で漫画化されて人気を博したことがあった。そんなことを話したのがきっかけで、そのような話になったのだと記憶している。

突然の電話を受けたとき、平井さんが、学問的に優れているだけでなく、出処進退のいさぎよい高潔な人柄であることは、まったくの部外者であるわたしなどの耳にも届いていて、ひそかに敬意を抱いていた。すぐうかがう旨を伝えて電話を切り、数日後駒場のお宅を訪ねた。話を聞いてみると、三〇年前の作品でいまは品切れになっている『ランボオからサルトルへ　フランス象徴主義の時代』（青土社）というフランス象徴主義の作家たちについての著作を、学術文庫に収録してもらえないかという希望だった。

早速読んでみると、平井さんが三十七歳のときのデビュー作であるその本は、ランボーやヴァレリー、プルーストらフランス象徴主義の作家たちの著述をたどりながら、その思想的系譜を検証しようとする論集だった。平井さんは、それらの詩人や作家たちを、ベルクソンやサルトルなどの哲学者とともに二十世紀精神史のなかに位置づけて描き出していた。

古代ギリシア以来のヨーロッパ哲学のいかめしい神学的・超越的イデオロギーや、現実社会が強いてくる人間を物象化・客体化しようとする管理に抗し、人間実存の素直な欲求の解放と自由の実現に向けて、新しい芸術創造に生涯を捧げた第一級の表現者たちへの共感がこめられていた。

ここで平井さんが人間存在の基本に据えている「実存」とは、いうまでもなく、ヨーロッパの伝統的形而上学が長い歴史を通じて考察の対象としてきた「人間とは何か」というような抽象的な人間本質論などとは無縁の、より切実な人間の生き方のことである。各自の不安や孤独、絶望に苦悩しながら、まさに今このときを生きている、「私」という個別で具体的な生身の人間の血のかよった在り方そのもののことであった。

この書の「ベルクソンとヴァレリー」のなかで平井さんは、哲学者はむかしから物事の真実に迫る手段としてコトバを使うことに何の疑問ももたなかった。だが、ベルクソンこそ「言語そのものへの根本的な反省の上に、自分の認識的な立場を築いた異数の哲学者である」とするチボーデの言を援用して、論議を進めている。

よく知られているように、ベルクソンはわたしたちの意識がさまざまに変化しながら継起していくあり方を「純粋持続」と呼んで、人が生きている証しとした。「純粋持続」においてわたしたちの意識は、美しい楽曲のメロディーのように溶け合い浸透し合って流れている。メロディーは、数々の音から成るリズミカルで有機的な一体化であって、個々の音に分解されれば、メロディーであることをやめる。つまり、メロディーとは、分割不可能な連関した持続であって、一つ二つと数えられる事物のような明確な区切りや断片性をもつものではない。同様に、わたしたちの「生」とは、母親の胎内を出たときに始まり、一瞬も途切れることなく流れ続けて、あるとき死にみまわれた瞬間に終わる旅であり、ひとつらなりの「持続」なのだという。

したがって、わたしたちの生存の核心をなす「純粋持続」とは、事物のように数えられる「量」ではない。ベルクソンは、「運動」と「時間」も、同じように途切れずに継起する「持続」であって、区切って数えることのできる物質的な「量」ではない、としている。

これに反して、実生活のなかの事物は、わたしたちの意識の外側にあって数えることができる。量的に多いとか少ないとか、大きいとか小さいとか。いっぽうで言語化するとき、喜怒哀楽や努力といった意識のなかで生起する状態や感覚に関してまで、強弱になぞらえて表現されることはありがちなことだ。大きな怒りとか、喜びが二倍になったなどというように。

「運動」と「時間」は連続した持続であって分割できない

このような混同の結果、意識のなかの状態も、外部の事物と同じように「量」で測ることができるもののようにみなされ、意識の事物化、数量化におちいっていく。こうしたことが繰り返されるうちに、本来切り離せない持続であるはずの「運動」や「時間」までが、空間のなかの事物と同じように、分割でき、数えることのできる量として扱われるようになっていく。

まして物理学者や天文学者は、運動や時間を計測可能な断片に置き換え、運動の速度を時間によって測る。運動の速度を計測するとき、運動体が位置を変えていく移動は、通過された空間=軌跡という「線分」に還元される。

速度は、その線分を時間によって分割して測定される。たとえば「秒速〇〇メートル」というように。しかし分割できるのは物体であって、ある地点から別の地点への移動である「運動」そのものは、一連の途切れのない推移であるから、本来は分割できないはずだ。

つまり、科学は、時間と運動を処理するためには、時間と運動からまずその本質的な要素を、つまり時間からは流動性を、運動からは運動性を、除外するという条件の下において取り扱うしかない。

ベルクソンは、主著の一つ『時間と自由』（平井啓之訳　白水社）のなかで、「代数は、持続のある一瞬間において得られた結果や、空間の中においてある運動体がとる位置をあらわすことはできても、持続そのもの、運動そのものをあらわすことはできない。……それは、持続と運動とが心的総合であって事物ではないからである」と記している。

ベルクソンはまた、わたしたちの意識のなかに生まれる感覚や好みといったものも、それを切り離して孤立化させ命名するやいなや、物として現れるようになってしまうと、注意をうながしている。私たちの「個人的意識のもつデリケートでとらえがたい印象」は、「はっきりと定まった輪郭をもった言葉、人類のもつ印象のうちの安定していて、共通的で、したがって非人格的なものを貯えておくありのままの言葉」によって、押しつぶされるか、蔽いかくされてしまう、と警告している。

かけがえのない一回性の意識が、共通的で非人格的な、公約数的な言葉で表現されたとたん、手垢のついた類型的な共通理解に堕してしまうというのだ。

平井さんが、これまでの哲学者は、物事の真実に迫る手段としてコトバを使うことに何の疑問ももたなかったが、ベルクソンこそ「言語そのものへの根本的な反省」を抱いた異数の哲学者だという言葉に共感しているのは、そのような事情のあらわれであろう。

コトバは、真実に迫る手段とはなりえず、むしろ「個人的意識のもつデリケートでとらえがたい印象」を押しつぶすか、蔽いかくしてしまう抑圧装置だというのである。

感情そのものは、絶えず変化する一つの生きものであるのに、感情が展開される場である持続を瞬間ごとに分割し、さらに時間を空間化するやり方でとらえようとすれば、当初の生き生きしていた感情から生気と色彩を失わせてしまう、とも批判している。

そのような分析的なやり方では、「われわれは感情を分析したのだと思いこんでいながら、実はそのかわりに、生気を欠いていて、言葉に翻訳可能」な共通的な要素、非人格的な残りかすを構成している諸状態を併置しているにすぎない、と断罪している。

こうしたことが繰り返されるうちに、私たちの意識状態も、少しずつ対象化され、「物」に変化していき、ありきたりの色合いをまとった類型的なコトバによってしか表現できなくなっていく。このようにして形成された第二の自我は、「難なく言葉で表現されるような」自我にすぎない、とベルクソンは言う。

その結果、コトバが定着できるのは、愛や憎しみの、さらには心を揺さぶるような無数の感情が形骸化した、客観的で非個人的な相だけになってしまうだろう、とも述べられている。

では、コトバがそのようにして降格させた私たちの感情や観念を公衆の領域から引き出し、多くのディテールを併存させながら、それらに元の生き生きした個性を取り戻させるためには、どうしたらいいのだろうか。

ベルクソンは、小説家の才能に期待をつなぐように、「それらの感情や観念の本来の生きた個性を、多数の細部の描写を並置することによってあらわそうとこころみる」と述べている。しかし最終的には、わたしたちは結局、心に感じていることを完全に翻訳することに失敗することになるだろう。そして「思考は言語に対して通約不可能なものとしてとどまるのである」と、コトバへの深い失望を書きつけている。このベルクソンの認識は、先に引いた川端康成の「束縛者である文字や言語」という言語不信論と正確に照応している。

このように人間のコトバへの根源的な批判者であったベルクソンが、同じ観点から、自らの根本思想をかけて厳しく対峙し、生涯をかけて論破しようとしたのが、いわゆる「エレア学派（ゼノン）の詭弁」であったことを、平井さんは前記の『ランボオからサルトルへ』の中で指摘している。

ベルクソンが生涯をかけて対決した「ゼノンの逆理」

ここで取り上げられているのは、古代ギリシアの植民都市エレアのゼノンの「四つのパラドックス」のうちの、「アキレスと亀」として有名な議論である。ほかに「二分割」「飛矢静止」「競技場」と略称される議論があり、総称して「運動の不可能性」の議論と呼ばれていることはよく知られている。

「アキレスと亀」は、前を行く亀の遅々とした歩みを駿足のアキレスが後ろから追いかけても、決してアキレスは亀に追いつけない、というものだ。なぜなら、T地点をスタートした亀の後方からアキレスが追いかけても、アキレスがTに着いたときには亀は少し先のT1に達している。次にアキレスがT1に達したときには亀はT2に、以下T3・4・……nと同じことが無限に繰り返されることになるから、アキレスは決して亀に追いつくことはできないというのだ。

このようなゼノンの、運動を細分化して分析する「運動の不可能性」の議論に対して、古来、多くの哲学者や数学者が論破しようと挑んだが、いずれも不成功に終わった。

ゼノンのパラドックスは、ベルクソンが考える「持続」と「運動」の観念に真っ向から対立するものであり、その哲学の根本概念である「運動」と「純粋持続」の思想と対極の関係にあった。ためにベルクソンは、『時間と自由』、『創造的進化』、『物質と記憶』などの主著のなかで、生涯にわたって「ゼノンの逆理」との対決に力をつくした。その事実について平井啓之は以下のように論じている。

ベルクソンは、「ゼノンの逆理」が、本来分割できない「運動」を分割できるものとみなして構成されていることが根本的な誤りだと批判している。ゼノンは、「運動」を、運動が行なわれた空間の上にのこされた軌跡＝線分と等価のものとみなし、その線分を切り刻むことによってパラドックスを展開している。「運動」とその抽象化された「線分」とを同一視して微分化しても、「運動」そのものを捉えたことにはならない、というのがベルクソンの批判の核心だ、と。

ベルクソンは、ゼノンの逆理のような認識上の倒錯を、「知性」の罪と断じた。知性による分析的思考を退け、本能に近い「直観」による認識の重要性を説き、「持続」こそが、人間実在の真の姿であるとする。そのような生の哲学者ベルクソンの確信について、平井さんは共感をこめて論じている。

平井さんは当時、フランスの現代思想家ジル・ドゥルーズの「ベルクソンにおける差異の概念」の翻訳（『差異について』〈青土社〉）を刊行したばかりだった。その本の解題で平井さんは、若き日のドゥルーズがベルクソンを徹底した「差異の哲学者」として再発見したことを高く評価し、強い共感を表明していた。ドゥルーズによれば、ベルクソンは、私たちの使っているコトバが、「純粋持続」としての生の真実を伝えるのにいかに不適当であるかを説いているという。

たとえばわたしたちは、ごく普通に「子どもが大人になる」と言うが、この言い方こそ、ゼノンの錯誤と同様に、子どもという静止点と大人というもう一つの静止点を単純に結び付ける誤りを犯しているとする。正しくは、「子どもから大人への移行（生成）がある」（『創造的進化』）と表現されなければならず、「移り行き＝流動と変化」こそが生の実相なのだ、とベルクソンは主張しているという。

このようなドゥルーズによるベルクソンの読解を受けて、平井さんは、日常言語（コトバ）は「流動」すなわち「生」そのものを表現するには不適当であり、本来動的なものを静的に、分割不可能なものを細分化することによって、恣意的な擬似了解に陥れる機能をもつことに注意すべきだと警告している。

ベルクソンは、「運動」と、運動体が通過した「空間」との混同からエレア学派の詭弁が生じていると、ゼノンのパラドックスを激しく論難した。ベルクソンの言い分はこうである。もし二つの点を分かっている間隔が無限に分割可能であり、そして「運動」が間隔そのものの諸部分と同じような諸部分から合成されているとすれば、その間隔は越えられないに決まっている。なぜなら、ゼノンはこのパラドックスにおいて、亀を追いかけるアキレスの代わりに、決して相手に追いつけないように同じ種類の歩みを行うよう宣告されている、もう一匹の亀を置き換えているにすぎないからだ、と。

事実、現実の世界では、俊足のアキレスが亀に追いつけないなどということはありえない。アキレスの走行は分割できない「運動」であり、この行為が一定の時間なされれば、アキレスが亀を追い越してしまうことは自明である。ゼノンの詭弁は、運動という分割することのできない「行為」を、分割できる「空間」に置き換えたことに由来する。ゼノンの錯誤は、アキレスの全体的な運動を、アキレスの歩みによってではなく、亀の歩みによって再構成できると思いこんだところにある、というのだ。

ゼノンの詭弁は、本来は分割することが不可能なはずの「運動」を、分割可能な線分に置き換えることに発する。さらに線分を無限分割していけば、究極的には「点」という抽象的な概念が出現する。分割不可能な人間の「生」を捉えるのに、こうした幾何学的思考法を用いて、認識上の倒錯を行っているのが「ゼノンの詭弁」の正体に他ならない、とベルクソンは繰り返し糾弾し、告発した。

平井さんから学術文庫への収録の提案を受けた『ランボオからサルトルへ』は、ランボーからボードレール、マラルメ、ヴァレリー、プルーストなど、日本におけるフランス象徴主義文学に関する尖端的な研究書だから、読者の数は限られていた。しかし、近代思想の問題点を根本から論じた優れた作品なので、わたしは喜んで学術文庫に収録させてもらうことにした。

巻末の解説は、蓮實重彦に頼んで欲しいというのが平井さんの意向だった。蓮實重彦といえば、当時東大教授でのちに総長を務める高名なフランス文学者だが、そのころすでに独特の文体をもつ文芸評論家としても多くの読者を集めていた。

編集者仲間の口さがないうわさでは、やや気難しいところがある方だという評判があった。原稿を書いてもらいたいと思ったある編集者が、自己紹介を兼ねた見本として自分の手がけた新書シリーズの既刊本を送って電話したところ、あんな汚らわしいものを二度と送ってこないよう、電話で叱責されたといううわさがあった。

だから、わたしも緊張して、こわごわと電話した。だが、案に相違して、蓮實さんは、即座に解説の執筆を引き受けてくれ、早速『ランボオからサルトルへ』の先見性を高く評価した、情理をつくした解説を書いてくれた。そのときの蓮實さんの挙止から、わたしは、平井啓之の学問と人間とが、深く尊敬されている様子をうかがうことができた。

ギリシア哲学者山川偉也の鮮やかな「ゼノンの逆理」解明

『ランボオからサルトルへ』ともう一つ次の企画を進行しながら、しばしば平井さんのお宅を訪ねて打合せをしているときに、平井さんの口から、当時出講していた大阪の桃山学院大学の同僚に山川偉也（ひでや）というギリシア哲学の教授がいるが、この人が実に優れた研究者だという話が出た。中央にいたら間違いなくもっと著名な存在になっているだろうといわれ、その著作をぜひ学術文庫に収録させてもらうといい、と薦めてくれた。

余人ならぬ、自他に厳しい平井さんが高く評価する方だから、すぐに連絡を取り、奈良を訪ねた。そうして学術文庫に収録したのが『古代ギリシアの思想』（原題『哲学と科学の源流――ギリシア思想家群像』〈世界思想社〉）というギリシア哲学史の通史だった。タレスに始まり、ピュタゴラス、ヘラクレイトス、パルメニデス、エレアのゼノン、ソクラテス、プラトン、アリストテレスまで、いまから二五〇〇年前の古代ギリシアの哲学者たちの思想と生き方を網羅的、体系的に詳述した、類書のない力作だった。学術文庫だから短期間に売れることはないが、収録すると何十年にもわたるロングセラーとなった。

山川偉也は、平井さんの炯眼どおりの、実力ぬきんでたギリシア哲学者だった。山川さんと企画の打ち合わせをするなかで、「ゼノンの逆理（パラドックス）」の話が出た。学術文庫版『古代ギリシアの思想』のなかでも山川さんは、新たに一章を立てて「ゼノンの逆理」について論じていた。

前述のように、平井さんも、ベルクソンやヴァレリーを研究する過程で、「ゼノンの逆理」に深く注目していた。とくにベルクソンが「ゼノンの逆理」に強い反発を感じ、ゼノンのこれ見よがしの分析的思考法を敵視し、生涯にわたって厳しく批判する議論を展開したことに強い関心を抱いていた。また、「ゼノンの逆理」をめぐる問題が、コトバの問題と密接不可分の関係にあることを、平井さんは指摘していた。

ゼノンは、紀元前五〇〇年ごろ、古代ギリシアのエレア、つまりイタリア半島の先端の長靴の甲の辺りにあった古代ギリシアの植民都市に生まれて、死んだ哲学者である。「ゼノンの逆理」といわれる奇妙な四項目の設問を提示し、「これに答えられるか」と人々を挑発した、いわゆるソフィスト的な詭弁を弄する人物だとされてきた。

しかし、伝えられているゼノンの最期は、そんなソフィスト的なイメージとはそぐわないものである。ゼノンは、当時エレアを支配していた独裁者を打倒する運動に身を投じ、捕えられて公衆の面前で激しい拷問を受ける。瀕死の苦しい息の下で、自白を強いられた共犯者の名を白状するから、耳元を近づけるよう独裁者に言い、近づいた耳にいきなり噛み付いて、食いちぎろうとした。そして最後に、自らの舌を噛み切って、絶命したと言い伝えられている。その壮絶な最期は、詭弁を弄する軽薄なソフィストのイメージとはだいぶ落差があり、不可解といえば不可解であった。何か別の理由の秘められていることが推測された。

そのいわゆる「ゼノンの逆理」が提示されてのち、二五〇〇年の長きにわたって、さまざまな時代や地域の数学者や哲学者が、「逆理」を解こうと挑戦しつづけてきた。

とはいえ、ゼノンの言葉そのものが伝えられているわけではない。「ゼノンの逆理」に関心をもったアリストテレスが、その『自然学』の中に伝聞として書き記した記録が残っているだけだという。「逆理」は、次のような四項目からなるといわれてきた。以下、『古代ギリシアの思想』のあと山川さんに書き下ろしで執筆してもらった『ゼノン　4つの逆理』（講談社）を読みながらたどっていこう。

ゼノンの四つのパラドックスとは、

①動くものは動かない、とする「二分割」の議論

②走ることが最も遅いものでも、最も速いものに追いつかれない、というい わゆる「アキレスと亀」の議論

③飛ぶ矢は飛ばない、とする「飛矢静止」の議論

④半分は二倍に等しい、とする「競技場」の議論の四つである。

第一逆理の「二分割」とは、「動くものは、目的地点に達する前に、その半分の地点に達しなければならないので、動かない」というものである。つまり、「S（スタート）からG（ゴール）へ移動するとき、まず中間点Mに到達しなければならない。だが、MとGの間には、M1・M2・M3……Mnと、中間点が無限にある。有限の時間内に無限の地点を通過することは不可能なので、理論的に、Gに到達することは不可能である」というのである。現実にはありえないことだが、理論的には、否定することができない。

第二逆理の「アキレス」は、「快足のアキレスが、前方をのろのろ進んでいる亀を追いかける場合、アキレスは、追いつく前に亀が走り始めた地点に達しなくてはならない。つまり、亀はつねにいくらかはアキレスに先んじているから、アキレスは亀に追いつけない」というものだ。

現実の世界ではそんなことはありえず、アキレスはあっという間に亀を追い越してしまう。そんなことはわかりきっているが、机上の論理としては、ゼノンの主張を論破することはできない。

第三逆理の「矢」は、「どんなものも、静止しているか動いているかのどちらかであり、自分と等しい場所を占めているときには、つねに静止している。しかるに、動いているものは、今現在においてはつねに、自分に等しい場所を占めている。だから、飛ぶ矢は飛ばない」というものである。

ここで「今現在」というのは、過去と未来がちょうど接続するところに位置する、大きさや長さをもたない、幾何学の「点」のような「瞬間」ということのようである。

過去から未来に向かって決してとどまることなく流れている時間のうちの、もし「今現在」という「一瞬」を切り取ってみれば、飛んでいる「矢」は止まっている。「今現在」止まっているとすれば、すべての「今現在」において矢は止まっているのだから、飛ぶ矢は飛ばない、というのである。

最後に第四逆理の「競技場」だが、これは文字による説明だけではわかりにくいので、次ページの図を見ながら考えていただきたい（図①②は、山川偉也『ゼノン　4つの逆理』〈講談社〉より作図）。

図①のような競技場があるとする。Δ（デルタ）はスタート地点、Ε（イプシロン）はゴール。物体が三列並んでいる。Α（アルファ）列はいわば物差しで、動くことはなく、それぞれの1コマはもうこれ以上分割できない「最小運動距離」を表わすと仮定されている。Β（ベータ）・Γ（ガンマ）列のコマはそれぞれ、やはりこれ以上分割できない「最小物体単位」の連結と仮定されている。たがいに反対方向に動

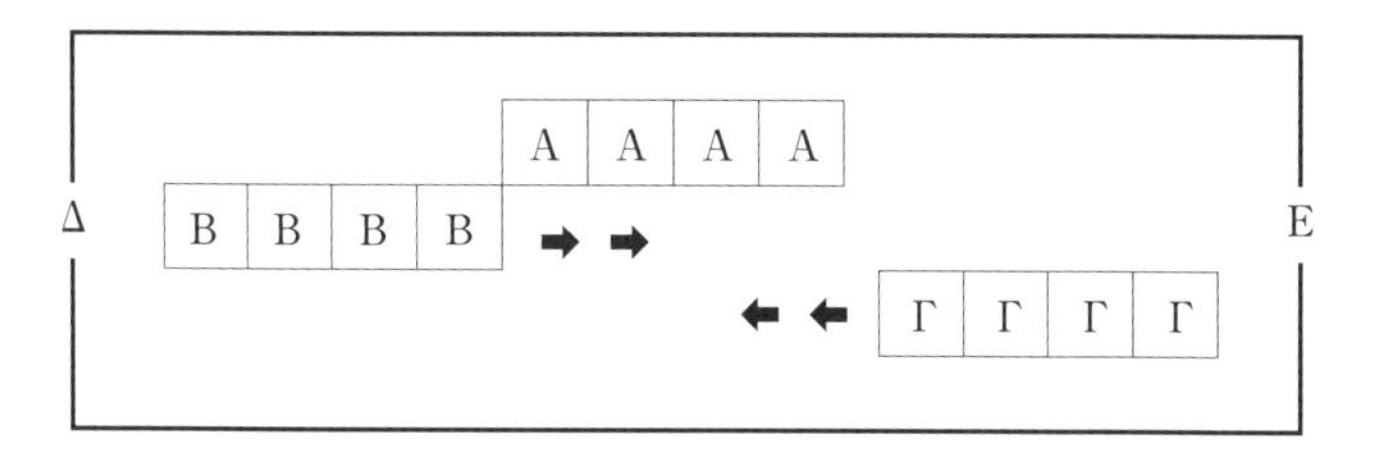

図①　競技場

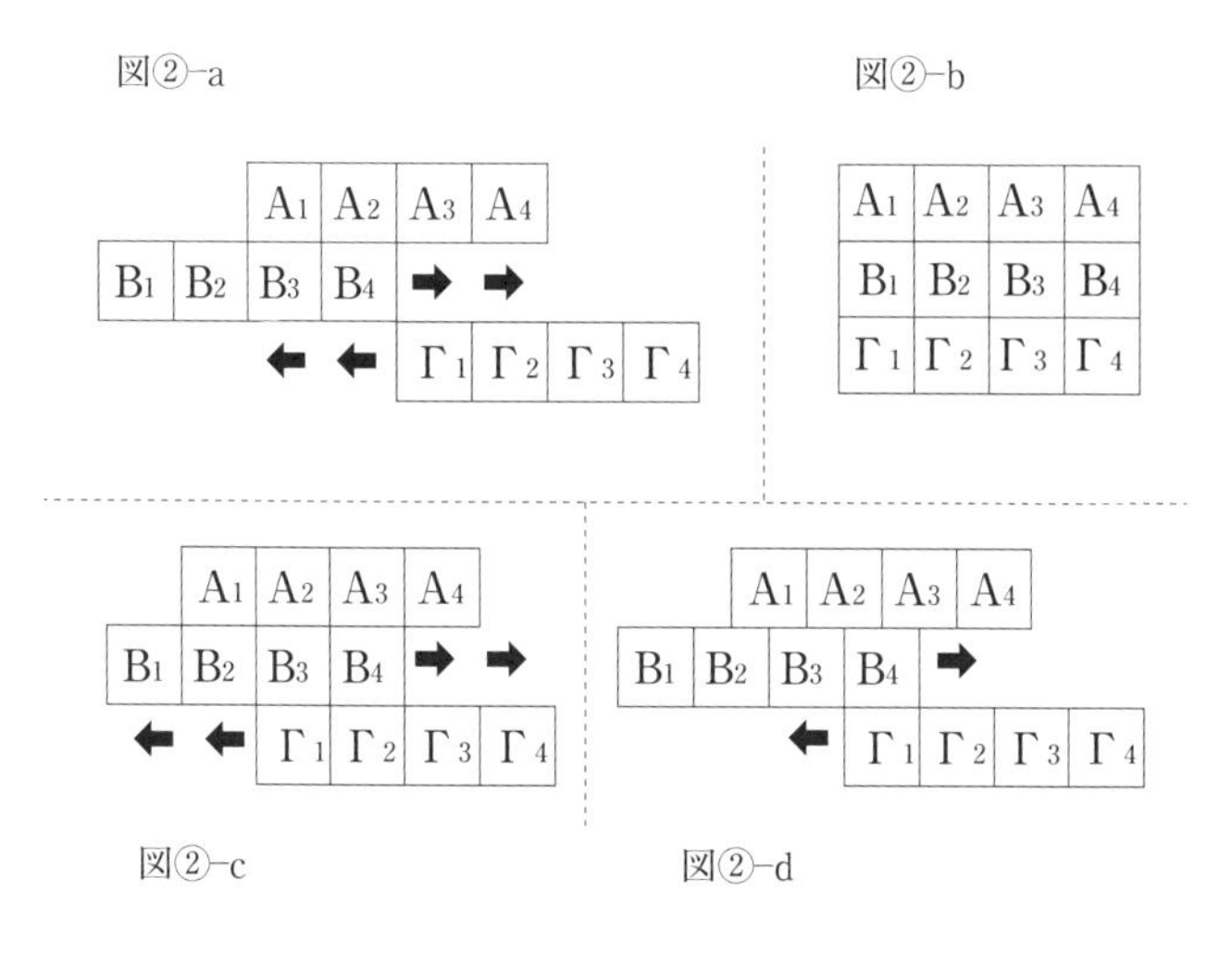

図②　物体の動き

（図①②は、山川偉也『ゼノン　4つの逆理』（講談社）より作図）

き、これ以上分割できない最小時間単位（m）の間に、最小距離だけ移動するものと仮定される。いずれもピュタゴラス学派の分析的な思考法に従った仮定である。

さて、図②-aのように、B列は左から右に、Γ列は反対に右から左に向かって、2最小時間だけ、つまり2mだけ動いたとする。つまり、B列先頭のB4とΓ列先頭のΓ1はそれぞれ、物差しであるA列に対して2単位動き、いままさにすれ違い始めようとしている。

次にB・Γ列がさらに2単位動くと、図②-bのようになる。このときB・Γ列は、物差しのA列に対しては2単位動いたのに、お互い同士に対しては先頭から最後尾まで4単位動いていることがわかる。

「ゼノンの逆理」の報告者であるアリストテレスはこれをもって、ゼノンは「物体は2単位しか動いていないのに、お互い同士に対しては4単位動いているから、『半分がその2倍に等しい』などと間違ったことを言っている」と非難している。しかし山川さんは、反対方向にすれ違う物体が、相対的には静止しているときの2倍動くことは子どもでもわかる常識だから、ゼノンともあろう者がそんなばかげたことをいうはずはない、とアリストテレスの批判を退けている。

山川さんの解釈によれば、第四逆理「競技場」でゼノンが言いたかったことは、図②-

aが図②-bに移行する直前に、図②-cの段階、さらにその寸前には図②-dのような段階があっただろうということ。図②-dでは、B列とΓ列の先頭は、互いに対して1単位進んでいるが、物差しのA列に対しては、2分の1単位しか進んでいない。ということは、「最小時間単位1の間に最小運動距離1だけ移動する」という仮定に反した事態が生じていることになる。これは1単位と2分の1単位が等しいという矛盾に陥っていることにほかならないではないか。

言い換えれば、この事態は、そもそも、「最小時間単位1の間に最小運動距離1だけ移動する」などという仮定が、すなわち、そのような思考法そのものが間違っている、ということを意味しているのではないか。

つまりゼノンは、本来は連続していて分割などできない「運動」と「時間」を、「線分」に置き換え、「最小単位」に分割して分析するような思考法を採用すれば、ほらこのとおり、「半分は2倍に等しい」という矛盾が生じてしまうではないか、と「反問」しているのだ、と山川さんは指摘する。

本来は分割できない「時間」や「運動」を最小時間単位、最小距離単位などと分割して捉えようとする分析的な思考法は、原理的に、このような矛盾を避けることができない。「時間」や「運動」はあくまで分割できない一連の持続・流動である。それを無理に分割・

細分化して分析しようとすれば、必ず矛盾に陥り、錯誤と誤謬を免れることはできない。その事実を立証することが実は、ゼノンが四つのパラドックスで示した真意だったのではないか、と山川さんは喝破した。こうして、何世紀もの間見失われていた謎が、鮮やかに解明されたのだった。

宿敵ゼノンとベルクソンは意外にも同志・戦友だった

それにしても、ゼノンはなぜ、このような奇妙な「パラドックス」を世に投げかけたのか。山川さんは、その理由を古代ギリシアの古文献を探索しながら考え抜く。そして、思いがけない真相に行き当たる。それは意外にも、現代文明の基盤をなす科学的思考法＝幾何学的・数理的思考法に対する根源的な批判だった。ひいては、分析的知性・理性の上に立脚してきた、科学・技術文明のあり方に対する根本的な懐疑であった。

山川さんが解明したその意外な真相を紹介する前に、「ゼノンの逆理」への人びとの関心に簡単に触れると、この議論に最初に注目したのは、前述のようにアリストテレスだった。アリストテレスは、結局、パルメニデスの「有」の思想と、ゼノンの奇妙なパラドックスの真意を図りかねたようで、著書の中に「理論の上では、これらの見解は論理の当然の帰結であるとも考えられようが、実際問題としては、こういう考え方をするというのは、狂気の沙汰に近いのではないか」と書きつけて終わっていると、山川さんは報告している。

アリストテレスのあと、さまざまな時代、地域の学者・研究者がゼノンの議論に挑戦した。だが、現実世界ではけっしてありえない一種の「屁理屈」ないし「詭弁」なのに、今日までだれひとりゼノンの提示した矛盾を解明できなかった。

ずっと飛んで、一九世紀から二〇世紀になって、数学者のバートランド・ラッセルや、平井さんが研究対象とした「生の哲学者」ベルクソンといった人々が、ゼノンと対決した。とくにベルクソンは、「ゼノンの逆理」を、自らの哲学と真っ向から対立する議論として、根本的な批判を展開した。ベルクソンの哲学は、「反主知主義」などといわれるように、自然や世界はすべて数理的・分析的に捉えることができる、とする近代科学の考え方を強く批判する。人間の意識の流れは分割不可能な「純粋持続」であり、「生きた現実の直感的把握」こそが真実にいたる道なのだと主張する。

それなのにゼノンの議論は、「運動」や「時間」という本来分割できないはずのものを、運動が行われたあとの空間に投影された軌跡＝線分と同等とみなし、線分や空間を無限に分割し近似値に還元するなどして把捉しようとする。これは間違った認識方法で、そこから生まれる結論には錯誤がつきまとう、とベルクソンは繰り返し批判し、生涯をかけて

「ゼノンの逆理」と対決しつづけた。

ゼノンが活躍した今からおよそ二五〇〇年前の古代ギリシアは、人間の歴史にとって一つのエポックとなる時代だった。東洋でもインドでゴータマ・ブッダが仏教を興し、中国で孔子や諸子百家が出現してさまざまの思想を競った時期だ。ギリシアでもソクラテスを初めとする多くの哲学者を輩出し、宇宙と人間世界の諸現象について盛んに考察をめぐらせた時代だった。これまで何万年の長きにわたって少しずつ進んできた人類文化の経験と叡智が、一気に開花し始めた特別な時期だったといえるのかもしれないと、山川さんは書いている。

遠くオリエントやエジプトの昔から徐々に発達し、天体の動きや大河の治水工事・土木工事、巨大な建造物の建設などに応用されてきた幾何学的な世界観、数理的な自然認識の方法も、成熟の段階にさしかかろうとしていた。

それらの多くの成果を継承して、古代ギリシアでは、タレスやアナクシマンドロスをはじめとするイオニアのミレトス学派の人びとが、人類文化に最初の科学革命を起こそうとしていた。その宇宙論・科学論、なかでも有名なピュタゴラス学派による数理的な自然観と世界認識、宇宙と天体の論理的理解は、最先端の知識としてわが世の春を謳歌していた。

ピュタゴラス学派を代表とする人びとの考え方は、まさに現代文明を作り出したガリレオ、コペルニクスなどによる一七世紀ヨーロッパの科学革命のさきがけといっていい知識革命だった。のちにガリレオは、「自然は一冊の本であって、その本は数学のコトバで書かれている」と宣言し、数理的な世界理解の方法に絶対の自信を示したと伝えられている。同じように、当時のピュタゴラス学派の人びとも、宇宙を支配するのは数学的・幾何学的な秩序だと考え、人間の知性と合理的な論理によって理解できないものはないという確信を深めていた。

彼らは宇宙と自然を、人間の生活・生存が本来もっている有機的秩序から切り離し、数学的・幾何学的秩序で一元化できると信じた。その考え方の根本を形成しているのが、分析的知性・理性と「点存在論」ともいうべき幾何学的・数理的な世界観だった。

それは現代科学にまで受け継がれている考え方で、わたしたちも高校に上がって幾何や代数の授業に接する最初に、位置だけがあって部分も大きさもない「点」という、日常的な経験からは隔絶した概念を教えられる。

「部分も大きさもないものが、ある」というのは、わたしたちの常識的な考えには反するヴァーチャルな事柄だが、そう教え込まれ、意識に刻みつける。この「点存在論」が、やがて微分・積分を経てさらにその先の、わたしなどには理解を超えた高等数学や原子物理学、量子力学などに展開していく第一歩なのだ。当時のギリシアで起こった「科学革命」を先導したのは、そのような「点存在論」とも言うべき抽象的思考を根源とする世界観だったと、山川さんは分析している。

しかし、このようなピュタゴラス学派の幾何学的世界観に根本的な疑問を感じる人びとがいた。人間の現実の生は、そのような幾何学的・数理的な分析的方法で把捉できるものではない、という批判である。人間の生とは、もっとリアルで有機的な過程であって、ピュタゴラスの徒のような現実生活から遊離した、抽象的な思い上がった考え方・生き方は、どこかで破綻し、ひどい厄災をもたらすに違いないと危惧する人びとがいた。その代表がエレア学派の祖のパルメニデスで、彼の哲学の中心思想は、万物の始原は、ピュタゴラス学派が考えるような「無限＝多」ではなく、完全性・一性に貫かれた「有」である、という思想だったという。

パルメニデスの哲学では、時に関する二つの秩序が説かれた。一つは、完全性・連続性・一性を本性とし、分割したりかぞえたりできず、つねに同一にとどまる「根源の時」であり、もう一つは、「二＝多」であることを属性とする、「偽りの世界構造」のなかに流れている「時-間」、すなわち数量として測定することが可能な時間と空間のあり方である。

完全性・連続性・一性に貫かれた根源の時《有》は、「青人草＝死すべき人間」のコトバによって分別(ぶんべつ)され、「命名」されて相対化される。すると「ものが生まれてき、現にあり、成長し、死んでゆくであろう世界」、「時-間」によって支配され、つねに「一=多」であることを本性とする「見かけのうえでの全世界秩序」が立ち現れてくる。パルメニデスにとっては、この事態こそ人間が陥った根源的迷妄とあてどのない彷徨の大本を意味した、と山川さんは読み解いている（『ギリシア思想のオデュッセイア』〈世界思想社〉）。

山川さんは、さらに、人間が陥った根源的迷妄の始原に関連して、パルメニデスによる右のような洞察と、古代南インドの大乗仏教の思想家ナーガルジュナ（龍樹）の論述との類似性・並行性に言及していく。パルメニデスの「青人草」と同様に、ナーガルジュナは、私たち「凡夫」が陥っているドクサ界、すなわち実在しているように見えるこの経験的世界は、「時-間」によって支配された虚の世界であると考える。

現実世界で人々は、「時間」を固定量のように考え、さまざまな手段を用いて時間をかぞえる。しかし、ナーガルジュナは、時間は本来「留まることのない」ものであり、分割して量として測られる時間は、本来の時間そのものではない、と主張している、という。

山川さんは、パルメニデス=ナーガルジュナに共通するこの時間の捉え方について、計測可能な時間とは真の時間ではなく、「空間に投影された同時性」に過ぎない、とするベルクソンの時間論にもきわめて近いと述べている。

パルメニデス=ベルクソンにとって、「時間」は分割することのできない一つの連続であった。時間は、大きさのない点としての「瞬間」の集合ではないし、運動は一つの連続であって分割することはできない。こうしたパルメニデスの考え方には、時間・空間を無限に分割して操作するピュタゴラス学派の幾何学的自然観に根本的な錯誤があること、それは人間の生存にとって好ましくない結果をもたらすであろう、という警告が内蔵されていた。ところが、ピュタゴラス学派の人びとはこれをあざ笑い、パルメニデスを無知な者としてひどく侮辱した。

これに対して反論に立ったのが、パルメニデスの弟子のゼノンだった、と山川さんは指摘する。ゼノンは、ピュタゴラスの徒に向かって言う。《君たちのいう幾何学的・数学的な世界観、時間・空間や運動を分割する数理的・分析的な考え方が正しいとしたら、このとおりアキレスは亀に追いつけない。飛ぶ矢は飛べないし、二倍はその半分と等しいことになってしまうではないか。一体、この矛盾を、どう解きほぐすことができるというのか》と。

パルメニデスを侮辱した論敵たちに向かい、そう根源的な問いを突きつけたのが、「ゼノンの逆理」の真相だった、と山川さんはあざやかに解明してみせたのだ。

つまり、「ゼノンの逆理」とは、一般人をからかうために発せられた単なる詭弁、あるいは人を惑わせようとする意地の悪いクイズではなかったということ。驕慢な論敵ピュタゴラス学派の数理的・分析的知性を矛盾に陥らせるための、精緻に組み立てられた議論だった。こうしてゼノンは、師のパルメニデスを笑いものにした連中の「多」の思考こそ、実は致命的な欠陥を秘めていることを暴露して、しっぺいがえしを喰らわせたのだ。それこそが「ゼノンの逆理」の真相だったのである。

ところで、四つのパラドクスを突きつけ、本来分割できない「運動」と「時間」を空間化して分割する、ピュタゴラス学派の幾何学的・分析的な認識方法や数理的世界観を批判するゼノンの口調は、だれかに似ていないだろうか？

そう！　それはまさに、ベルクソンの飽くなきゼノン批判にそっくりではないか、と山川さんは指摘する。ベルクソンはゼノンを生涯かけた論敵とし、その幾何学的精神や分析的知性を人間のリアルな生から乖離した詭弁として批判しつづけた。だが、その批判の仕方は、ピュタゴラス学派を批判するゼノンの口ぶりにそっくりだという、思いもかけない事実が見えてきた。

ゼノンは、実は、ベルクソンが攻撃すべき論敵ではなく、むしろピュタゴラス学派に代表される「数理的・分析的知性」という、同じ敵と戦う同志・戦友だったのだ。

こうして山川さんの犀利な論証によって、近代科学の基礎をなす数理的・分析的な認識方法の批判という「ゼノンの逆理」の思いがけない真相が明らかとなった。

分析的知性・科学的思考法に宿る危うさ

しかし、近代科学精神を金科玉条とし、現代の機械文明や技術的進歩の恩恵を全身に享受しているわたしたちは、ピュタゴラス＝ガリレオ的な分析的知性、科学的真理の正当性を疑うことはない。わたしたちが近代科学文明を志向するかぎり、「点存在論」や時間と空間の無限分割という方法論は、科学的真理を探究するための絶対的条件となる。それは、「数学のコトバ」で書かれているという自然を解読する秘儀にほかならない。

この方法論による自然の再組織化が、近代的な技術文明と産業社会を作り上げ、ひいてはその延長線上でＮＡＳＡやＪＡＸＡによる宇宙探究を可能にし、私たちにさまざまの利便と恩恵をもたらしてきたことは否定できない事実である。

しかし、さらに深く内省してみれば、ピュタゴラス的な自然観や幾何学的・分析的知性、「点存在論」などの極限的な進展である原子物理学や量子力学が、七八年前にヒロシマとナガサキで閃光を放ち、何十万という無辜の人びとの上に取り返しのつかない災禍をもたらしたのもまた事実ではないか。

そして今日、おそらくもう引き返すことのできない地球温暖化という致命的な環境破壊をもたらそうとしているもの。共生や循環的持続可能性を無視し、自然を征服し奪いつくそうとする近代科学的・工業技術的な価値観・世界観のことを考えざるをえないだろう。その大本をなす思考の原理こそ、ピュタゴラス学派の幾何学的な自然観や分析的知性にはじまり、ガリレオ、ニュートンを経てアインシュタインに至る近現代科学思想そのものではなかったか。

二五〇〇年前にエレアのゼノンが「四つの逆理」を示して打ちならした警鐘は、その音色をさらに大きくして、現代人の耳に届こうとしているように思える。

現実の生存から切り離された人間生活のヴァーチャル化・ゲーム化・AI化はますます亢進している。近代科学の究極的な到達点である、原子力による核弾頭の拡散は止まらない。その同じ虐殺の原理から生み出されたエネルギーは、電力に変換されて私たちの日々の文明的な暮らしを支えている。それら原子力エネルギーの根源には、ゼノンとベルクソンが警告した危うい「点存在論」が横たわっていないだろうか。その危惧が、ヒロシマ、ナガサキや3・11のフクシマで現実となったのだとしたら、という疑惑をおさえることはできるだろうか。

しかし山川さんは、ヨーロッパ的科学技術のゆがみや暴力性によって危機に瀕している人類文化を、パルメニデスやゼノンの思想が救済できるなどと「誇大妄想的な」考えを抱くべきではないと戒めている。なぜなら、パルメニデスやエレア学派の思想といえども、プラトンやアリストテレスと同根の思想であり、古代・中世にはアウグスティヌスやトマス・アクィナスに継承され、さらにヨーロッパ形而上学の伝統をへて近代の科学・技術思想の基盤を形成し、ガリレオ、ニュートンからアインシュタインの業績へと移行していったことは疑いようのない事実なのであるから。

しかし、いまをさかのぼる二五〇〇年前、哲学の始原近くに位置したパルメニデス＝ゼノンの思想が、のちにヨーロッパ的知性の精華として花開いた「科学・技術文明」に底流することになったある種の「矛盾と迷妄」を鋭く予見し、これを批判する独自の視点をそなえていたことは、心にとどめておいてもいいかもしれない、とひかえめな提案をするばかりである（『ギリシア思想のオデュッセイア』）。

『ゼノン　4つの逆理』の末尾を、山川偉也は、エレアの市民たちの前で僭主から激しい拷問を受けていたゼノンが、舌を噛み切って死ぬ直前に市民たちに向かって叫んだ言葉で結んでいる。

「呆れたものだな、きみたちの臆病さたるや。わたしがいま耐え忍んでいるこんなことが怖いために、独裁者の前に這いつくばっているとは！」

このときゼノンが市民に向かって発した激烈な叱咤を、哲学者の柄谷行人は、「大衆を蔑視する《貴族主義》と呼ぶのは的外れである。その逆に、ゼノンのせりふは、イソノミア（無支配）の精神から来るものだ。そして、彼のアジテーションは市民を動かして僭主打倒を実現したのである」、と論じている（『哲学の起源』）。

このあと絶命間際のゼノンは、「自分の舌を噛み切って、僭主に吐きかけた。そこで、市民たちは奮い立って、その場でただちに僭主に石を投げつけて殺してしまったのだ」と。

ここで柄谷の言う「イソノミア」とは、当時のイオニア（アナトリア半島南西部のエーゲ海に面した地方）に実在した、あらゆる支配＝被支配関係を否定する政治形態のことで、パルメニデス、ゼノン師弟はその思想を受け継いでいたという。柄谷行人によれば、「イソノミア＝無支配」というラディカルな考え方からすると、デモクラシー＝民主政でさえ、「多数者による支配」という支配の一形態に過ぎないことになる。そう言われてみれば、ヒトラーもプーチンもトランプも、選挙＝民主政が生み出した怪物にちがいない。

科学的思考法の原理的欠陥を鋭く批判する一方で、苛酷な拷問死にも怖じることなく、僭主打倒に敢然と立ち向かったゼノンとは、そのような思想の持主であった。

こうして、いたずらに逆説・詭弁をもてあそぶ軽佻浮薄なソフィストの元祖のように思われてきたエレアのゼノンの、真実の姿が明らかになったのである。

第1章でわたしたちは、進化論的に人類と同根の霊長類が、目をそむけたくなるような利己的遺伝子（DNA）を内蔵している事実を見た。だから人間も、というような動物学の研究成果の安易な擬人化は避けなければならないのは当然だが、とはいえその事実がヒトの遺伝子と全く無関係と考えることもかえって不自然だろう。己れの内なる「利己」を認識したときには、それを克服する努力は必要であろう。

他方で人類は、天与のコトバと知性を駆使して自然を科学的に再組織化し、科学・技術による絢爛たる物質文明を開花させ、比類のない繁栄を築いてきた。しかし、ゼノン＝ベルクソン＝山川の探究によって、人間の分析的知性と科学的思考法には原理的な欠陥が底流しているのではないか、との疑いが浮上してきた。

科学・技術の高度な発達によってわたしたちはいま、とてつもない便利さと快適さ、豊かさと飽食を享受している。が、その反面、環境汚染・地球温暖化、さらに核弾頭の蔓延という、人類の持続的な生存にとって、深刻な危機的事態に直面している。異常気象による旱魃・洪水と飢餓、そして絶えることのない戦争と流血。

わたしたちは、これからどこへ行くのか――。

次には、その行末について、宇宙と生命に関する現代世界最高の叡智の予見に耳傾けてみなければならない。

5

地球外生命が到来しないのは、高度文明は滅亡するから

現代最高の宇宙物理学者ホーキングが教える宇宙の始まり

現代世界における科学的叡智の最高峰といっても過言でない、イギリスの宇宙物理学者のスティーヴン・ホーキングは、オクスフォード大学を首席で卒業してケンブリッジ大学の大学院に進み、筋萎縮性側索硬化症という難病と苦闘しながらも、宇宙の成り立ちとその行方に関する目覚ましい研究業績を挙げた。ニュートン、アインシュタインに匹敵する現代最高の理論物理学者とたたえられたが、二〇一八年に死去した。

その主著『ホーキング、宇宙を語る――ビッグバンからブラックホールまで』（一九八九年　早川書房）と遺著『ビッグ・クエスチョン――〈人類の難問〉に答えよう』（二〇一九年　NHK出版）には、宇宙と人間の過去と未来に関する根源的な問題が採り上げられ、独創的な見解が述べられている。

老いぼれ編集者のわたしは、最後に、乏しい知識と回らぬ頭で四苦八苦しながら、いくつかの根源的な事実を読み取ったのだが、その理解の妥当性について、読者の皆さまの意見をうかがってみなければならないだろう。

ホーキングによれば、人間が住んでいる宇宙は、「原理または法則によって支配された機械」であり、その法則は人間の頭脳で理解することができる、とされる。この見方は、前述した古代ギリシアのピュタゴラス学派の人びとの数理的な自然観と重なり、なおかつ一六～一七世紀「科学革命」の折のガリレオのことば、「自然は一冊の本であって、その本は数学のコトバで書かれている」と正確に響き合っているといえるだろう。

ホーキングによれば、宇宙は一三八億年前に「ビッグバン」によって始まったという。ビッグバンというアイディアは、アメリカの天文学者エドウィン・ハッブルが、一九二〇年代に巨大な望遠鏡で銀河を観測したときに始まる。

ハッブルの観測によれば、ほとんどの銀河が地球から、またお互い同士からも遠ざかりつづけているという。この事実は、宇宙が膨張していることを意味し、その膨張速度を逆算すると、一三八億年前には宇宙は、無限大の密度をもった一点、すなわち「時空の特異点」に凝集していたと考えることができる。そこへビッグバンが起き、そのとき宇宙全体がいっぺんに出現し、エネルギーと空間が生じ、時間もそのときから始まった、というのである。

ビッグバン以前には時間がないのだから、時間をさかのぼってもビッグバン以前には到達できない。「こうして私たちはついに、原因のない何かを発見した」とホーキングは述べている。なぜなら、あるできごとに原因があるためには、そこにいたるための時間が必要だが、その時間がないのだから、必然的に原因にはたどり着けないという意味のようだ。

さらにホーキングは、「ビッグバン以前には時間が存在しなかったのだから、神が宇宙を創造する可能性はない」と明言している。

ということはすなわち、ホーキングによれば、「神は存在しない」し、宇宙を作った者はいないということになる。「おそらく天国は存在せず、死後の世界もないだろう」と確言し、死後の生を信じるのは希望的観測にすぎず、人間は死ねば「塵」に帰るのだろう、と結論づけている。人間は宇宙の塵から生まれて、また塵に戻っていく存在であるということになる。

ホーキングは、宇宙の歴史の中で、ＤＮＡの発生と生命の誕生、そして人類の登場とコトバの発生について次のように概説している。

ビッグバンからおよそ一分後、宇宙の温度は現在の太陽の温度のほぼ一〇〇倍の摂氏一〇億度まで下がった。引きつづき宇宙は膨張しつづけ、温度も下がりつづけた。ビッグバンから二十億年後に銀河や星が生まれた。初めは宇宙に炭素はなかったが、やがて簡単な元素の水素とヘリウムができ、それらを燃やして炭素・酸素・鉄のような重い元素ができていった。

九十億年後、つまりいまから四十五億年ほど前に、炭素や酸素のような比較的重い元素から地球ができた。そして、いかなる成り行きでかはわからないが、「それらの原材料の一部がＤＮＡ分子（デオキシリボ核酸）の形に配列された」のだという。ＤＮＡ分子は、よく知られているように二重螺旋構造をもち、生物の遺伝情報を複製する能力がある。そして後年、前述したドーキンス＝杉山らの研究によって、自分の子孫の増大と繁栄のみを追求する、極めて「利己的な」性質を具(そな)えていることが明らかにされた。

初期の細胞が多細胞生物になるまでに二十五億年ほどかかり、多細胞生物の一部が魚になり、さらに魚の一部が哺乳類に進化するまでにはさらに十億年ほどを要した。その後進化のスピードは速まり、初期の哺乳類が人類に進化するまでには一億年ほどしかかからなかったという。

人類の登場とともに、宇宙および地球は決定的に重要な段階に突入した。コトバが生じたのである。ホーキングは、コトバのなかでも「書き言葉」が生じたことを重視している。書きコトバの発生によって、ＤＮＡによる遺伝的なもの以外にも、情報を世代から世代へと伝えられるようになったからだという。

世界終末時計の針は深夜零時まであと一〇〇秒

先述したように、井筒俊彦＝ソシュールの理論により、コトバには、存在分節機能＝世界創造の作用のあることが解明された。人間はこの能力を用いて、ビッグバン以来のありのままの自然の上に、人間の科学＝数学というコトバで分別した第二の自然を重ねて創造した。以来人間は、数学的に分節した第二の自然にさまざまの技術＝テクノロジーを加えて加工し生産し、繁栄を築いてきた。そのため、地球資源は際限なく収奪され消費され、急速に枯渇しはじめている。

人間に消費されることによって、地球は大気と海を汚染され、気候変動と地球温暖化に見舞われ、森林破壊、北極と南極の氷冠溶解、海水温と海面の上昇が進行し、いまや重病に冒された状況にある。

二〇一八年一月、アメリカで恒例の『原子力科学者会報』の世界終末時計の針は、深夜零時まであと一〇〇秒の位置にまで進められた。地球という星は、あまりに多くの領域で危機に瀕している、とホーキングは憂えている。

ただ、ホーキングは遺著の中で、「人類が実現させるのを見てみたいアイディアは何か」という質問に対して、クリーンエネルギーを際限なく供給する核融合発電が開発されること、と答えている。

「核融合」とは、ウランの原子核が分裂するときに膨大なエネルギーと放射能を出す「核分裂」とは違って、重水素と三重水素（トリチウム）の原子核同士を融合・合体させたときに巨大なエネルギーを生み出す現象のこと。「核融合」は、まさに太陽の中で起きている現象の再現であって、「核分裂」のような高レベルの放射性廃棄物は産出しないし、二酸化炭素も出さないという。

つまり、核分裂による「原子力発電」とは異なり、「核融合発電」は人体に安全かつクリーンなテクノロジーで、ホーキングは、そのとき「核融合は現実的なエネルギー源となって、汚染や地球温暖化なしに、消費しきれないほどのエネルギーを供給してくれる」だろうとの夢を語っている。


もう一つ、広大な宇宙の中には地球より五十億年も早く形成され、知的生命を進化させた星があるだろうが、ではなぜ未だに地球にはだれも現れず、地球は異星人の植民地にもされていないのだろうかという質問に、ホーキングは以下のように答えている。

仮に異星人による地球来訪があるとすれば、はなはだしく不愉快な形を取るだろう、アメリカ大陸の先住民がかつてコロンブスに遭遇したときのように、と述べている。コロンブスの新大陸発見のあとには南北アメリカの植民地化＝搾取が進み、さらにピサロ一行によるインカ帝国征服の大虐殺が続いた。そのようなことが地球にはまだ起きていない理由について、ホーキングは四つの推測をしている。

第一に、宇宙に生命が自然発生する確率は非常に低く、もしかしたら地球はそれが発生した銀河系で唯一の惑星なのかもしれないということ。

第二に、宇宙のある種の星の中に生命が発生しＤＮＡのような自己複製する系が形成される可能性はあるが、そういう生物のほとんどは知性を進化させることができなかったのかもしれないということ。

第三に、生命が知性を進化させずに終わったもう一つの可能性は、いずれかの時期に小惑星や彗星の衝突に見舞われて絶滅したのではないかということ。現に、小惑星の衝突は私たちの地球でも六六〇〇万年前に現実に起こり、恐竜絶滅を引き起こした過去があり、宇宙ではときどき起こることだから、という。

さらにホーキングは、宇宙からの来訪者がまだ地球に到来しない第四の理由は、生命が発生し知性を十分進化させたにもかかわらず、その星の生物系が不安定になって、自らを絶滅させる可能性がそれなりに高いからかもしれない、と推測している。

ホーキングは、二〇一八年三月に死去したが、二〇世紀の終わりから二一世紀の初めにかけて何度か来日し講演をした。元東京都知事の石原慎太郎がその一つに出席し、講演を聴いてから自ら質問もしたと述べ、最晩年の著書『「私」という男の生涯』（二〇二二年幻冬舎）の中でそのときのことを証言している。

「私にとって印象的だったのは講演の内容よりも、むしろその後許されて行われた聴衆との質疑応答だった」として、以下のように記している。

「ある者の、この宇宙全体に地球のようにかなり高度な文明を保有している惑星がいくつくらいあろうか、という問いに、彼（ホーキング）は言下に、太陽系を超えたその先の先の全宇宙ということなら、二百万ほどと答え、またある者が、ならば何故それらの内の、地球以上に高度な文明を保有している星から実際に他の惑星に住む生物やその乗り物がこの地球に到来しないのだろうかと質した。その問いに対しても言下に彼は、現地球ほどの文明が誕生発展するとその星の生物を支えている『自然』の循環が著しく阻害されてしまい、その惑星はきわめて不安定な状況をきたし、宇宙時間からすれば殆ど瞬間的に消滅すると答えた」という。

その答えを聞いた石原がさらに「ならば宇宙時間での瞬間的と言われる時間帯とは、地球時間にしてどれほどのものか」と質すと、これまた言下に「およそ百年ほどだろう」という答えが返ってきた、と証言している。

そのうえで石原は、近年地球の表面で起きている自然環境の大きな阻害をうかがわせる現象は、ホーキングが行った予測の信憑性を強く暗示しているとして、地球温暖化の加速の中で起こっている生態系の変化と、海の水位が上がって水没しかけている赤道付近の島々のことを憂えている。

現在の地球のように文明が進んだ惑星はこの宇宙に二百万ほどあろうが、そうした文明のさらなる進歩は自然の循環を狂わせ、そうした惑星は宇宙時間からすればほとんど瞬間的、およそ一〇〇年で危機に直面するだろうというホーキングのことばは、わたしにもかなり信憑性のある予見に聞こえる。

AI（人工知能）は人類にとって救いとなるか、それとも……！

ホーキングが高度文明が破滅する原因についてもう一つ危惧しているのが、「AI」いわゆる「人工知能」の暴走である。

ホーキングは、第2章で触れたアリストテレス＝福田恆存と同様に、自然物と人工物との間に超え難い断絶があるとは考えていないようだ。彼はあらかじめ、「熱力学第二法則」を踏まえて、生命とは「無秩序に向かおうとする傾向に逆らって存在しつづけることのできる、複製能力を備えた秩序ある系」と定義する。言い換えると、利己的な生命体は自分に似た複製をつくるためには、食べもの・日光・電力のような秩序あるエネルギー形態を、熱という無秩序なエネルギー形態に転換しなければ生きていけない。生命体はそのようにして、自分自身や子孫という形で秩序を増加させながら、環境を含めた系全体の無秩序の総量をより増加させている、とする。

そのうえで、ホーキングは、コンピュータのメモリ内で自分のコピーを作り、それをほかのコンピュータに送り込むプログラムである「コンピュータ・ウイルス」は、まさに生命体の定義に合致していると明言し、さらに「人間が作り出した唯一の生命であるコンピュータ・ウイルスが、破壊的としか言いようのない性質を持つという事実は、人間の本性についてなにごとかを語っているのかもしれない。人類は自分たちにそっくりの生命を作り出したというわけだ」と人間の本性が破壊的であることに言及している。ホーキングのこの見解は、あの「利己的な遺伝子論」と照応しているようにも感じられる。

コンピュータ・ウイルスは一種の人工生命にほかならない、と論じたうえでホーキングは、「人工知能＝ＡＩ」と「遺伝子工学＝ＤＮＡの改変」に言及していく。人類は既に自分たちのＤＮＡを改良する「自己設計による進化」の段階に入りつつある、遺伝子工学は初めのうちは、遺伝的な欠陥の修復だけに制限されるだろうが、今世紀が終わるころまでには、知性や攻撃性のような本能を修正する方法が発見されるだろう、と予見している。

さらに進んで、人間の記憶容量や寿命といった限界を突破して改良された「超人類」が出現すれば、超人類とそれに太刀打ちできない未改良の人間との間に大きな摩擦が発生するだろうと憂慮している。

科学・技術は、「超人類」を超えてさらに進化していく。人間の「利己的な遺伝子」は不滅で、「科学・技術」の前進には際限がない。「人間の知能が、非生物的知能と融合して、何兆倍も拡大する」という「シンギュラリティ（技術的特異点）」の到来が近いといわれる。人間への遺伝子工学の応用・進歩につれて、高度に進化した電子回路がコンピュータに知的なふるまいをさせるようになることは可能だ、とホーキングは躊躇なく断言している。

そして「コンピュータが知性を持てば、おそらくは自分自身よりはるかに複雑で高い知性を持つコンピュータをデザインできるようになるだろう」、今後の一〇〇〇年間に実現することはなくても、次の一〇〇〇年が終わるまでには、そのような根本的な変化が現実のものとなるだろう、との見通しを述べている。

数年前、この「シンギュラリティ」の問題が注目されたとき、多くの人びとは「ＡＩが人間の知性を超えることはないだろう」と主張して一件落着したように見えた。が、ホーキングは本書の最後に、「スーパーインテリジェントなＡＩの到来は、人類に起こる最善のできごとになるか、さもなければ最悪のできごとになるだろう」と結論を留保している。

前述した自然物と人工物を区別する必然性はないとの立場と同様、ホーキングの思索の基礎には、「コンピュータも人間も、この宇宙に含まれる同じ粒子を素材としており、ＡＩが人間を超えることを妨げる物理法則はない」との考えがあるのだ、と『ビッグ・クエスチョン』の訳者の青木薫は巻末解説で述べている。

人工物といっても所詮は宇宙の粒子から構成された物質なのだから、自然物と何ら区別する理由はない、松が松ぼっくりを作ったのと何も変わりはない、というあのアリストテレス＝福田恆存の認識と一致しているように思われる。

ほかの惑星への移住のすすめ

現代世界の最高の叡智とされるスティーヴン・ホーキングは、その遺著の中で、地球資源の枯渇と環境破壊、さらに地球最終戦争が起きる恐れについて論じたあと、「地球外生命がいまだに到来しないのは、高度に発達した文明は滅亡する可能性がある」からではないか、と述べている。この言明には、「地球文明も同じように高度に発展して、ある極限的な事態が起きれば滅亡を免れないだろう」という予測が含まれているようだ。さらにホーキングは、地球の避けられない真の大破局として、百億年後には「太陽が大きく膨らんで地球を飲み込んでしまう」ことを挙げている。すなわち、太陽の寿命が尽きるとき、ということである。

そこまでの究極的な大破局でなくても、その前にさまざまな原因によって人類が地球に住めなくなる事態はいくつかありうる。それを逃れるためにホーキングはこの遺著の中で、わたしたち人類の地球脱出、他の惑星への移住を提案している。新しい惑星に移住すれば、その星の資源を消費しつくすまで何百年かの猶予が生まれるというのだろうか。しかしそれは、地球で起こったことの繰り返しにすぎないような気もするが。

利己的な遺伝子に支配されているヒトという動物は、他方でコトバという過剰な能力を持っている。そのために科学・技術というシステムを開発して、繁栄を極めた。しかしこのシステムは、永遠に前進と経済成長を続けざるを得ない宿命を強いられているかのようだ。まるで泳ぐのをやめると酸欠で死んでしまうというマグロのように。

人類も、どこかで破局しないかぎり前進をやめることはできない。地球を消費しつくし、移住した先の惑星も消費しつくし、第三の惑星も消費し終われば、さらにまた新しい星を求めて宇宙空間をさまよいつづけなければならない、人類とはあわれむべき宿命を負っている存在なのかもしれない。

日本も加わって現在進行中のアメリカを中心とする月再着陸を目指す「アルテミス計画」や、中国をはじめとする諸国の宇宙開発競争は、将来、宇宙へ人間が移住するための準備作業と考えることができるかもしれない。人類が滅亡から逃れるためのホーキングの提案は、今後も実現を目指して挑戦されつづけていくことになるのだろう。

エピローグ　科学は無謬か。そして、利他主義について

迷妄と錯誤

大学を出てから勤めた三十余年にわたる編集者生活と、その後今日まで送った二十年余りの文筆暮らしの中で、わたしがようやく味得した人間と世界に関する最も根源的な認識について、優れた内外の学者たちの学知を引用しながら綴ってきた。本書で確認したことをまとめておこう。

第1章では、「人間は老化すれば乗り捨てられる、DNA（遺伝子）の乗り物である」という不都合な真実が明らかになった。さらに、そのDNAは、自己の複製・繁栄だけを追い求める極めて利己的な属性をもっていることがわかった。

世界で初めて観察された霊長類のハヌマンラングールによる「子殺し」という恐るべき行動は、「利己的な遺伝子」理論の正当性を立証する有力な事例の一つとなった。その事実から、地球上のあらゆる動物のDNAは、きわめてエゴイスティックで、ときに暴力を

いとわない本性を内蔵していることが類推できる。

第2章で指摘されたのは、自然は、神のはからいと人間の科学とで二重に創造されている、という意想外の自然観だった。この直観が意味するのは、わたしたちの生存の基盤である地球の自然は、人間の登場によって、元々の平穏な持続的循環のサイクルを打ち破られてしまったということである。

豊かな水と緑に包まれた地球という美しい星は、はるか太古の「宇宙創成」以来の長大な時間を、人間不在のまま平穏に反復と持続を繰り返してきた。しかしその美しかった自然は、あるとき出現した人間の駆使するコトバによって数学的に再組織化されると、科学・技術によって暴力的に開発・収奪される標的となった。この事態が進行するにつれて、海水と大気は北・南極の隅々まで汚染され、ついには地球温暖化という後戻りのできない環境破壊へと追い込まれるに至っている。

人間が神に成り代わるようにして創造した「もう一つの自然」という直観が成立するメカニズムは、最先端の言語哲学の知見によって、第3章で解明された。コトバの「意味形象喚起機能」と「存在喚起＝世界創造作用」という独創的な理論である。

「コトバが事物を存在させる、コトバがなければ世界は存在しない」という「コトバの存在喚起機能」によって、近代世界はビッグバン以来のありのままの自然の上に、人間が科学というコトバで分別した第二の自然を併置させた。

この間のいきさつについて、科学の申し子のガリレオはかつて、「世界は一冊の本であり、その本は数学のコトバで書かれている」と嘯き、神に成り代わったように、ビッグバン以来の自然の上に、人間が創成した数理的な自然を上書きした。

以来この科学主義は、無辜の自然に向かって容赦のない開発と搾取を加え続け、その結果、いまや自然は、本来の健康な循環と持続を打ち破られ、瀕死の病症を呈するに至っている。地球温暖化といわれる現象は、そのもっとも重篤な症状であることはいうまでもない。

なぜこのような事態が生じたのか。その原因を探究するうちに、「科学＝数理的思考法の原理的な欠陥」にたどりついた。第4章に記したとおり、人間が自然を収奪する武器としている「科学＝数理的思考法」には、根本的な矛盾があるのではないか、との疑念に行き当たった。それを受けた山川偉也の犀利な論証によって、あらゆるものが権威を失った現代でも唯一無謬と思われていた「科学的思考法」の根源に、原理的な欠陥のあることが白日の下にさらされた。

科学は現に、これまでにもいくつかの迷妄と錯誤を犯してきているのではないか。核兵器の開発製造などはその最たるものであろう。ホーキングは、その著書の中で、アインシュタインがかつてアメリカ政府に、核爆弾開発に真剣に取り組むよう勧告するフランクリン・ルーズヴェルト大統領宛の手紙に署名したことを特記している。この事実は、科学がその最高レベルの叡智においてさえ、核兵器というこの世で最も邪悪な怪物とコインの裏表のような関係にあることを示唆してはいないか。もっともその後、平常心に返ったアインシュタインは、核兵器の危険について度々警告し、核戦争の防止に熱心に取り組んだことも事実ではあるが。

ベルクソンは、一九二二年に一度だけ、アインシュタインと直接会って意見交換したことがあるが、そのすぐ後に公刊した著書『持続と同時性――アインシュタインの理論について』の中で、アインシュタインの相対性理論の時間論を批判、というか根源的な異議申し立てを表明している。

ベルクソンにとって、人間の「生」とは、母親の胎内を出た瞬間に始まり、息を引き取った瞬間に終わる、一瞬も途切れることのない一つながりの旅だという。それは中断することのない推移であり、「運動」であって、分割できない一つらなりの「時間」である。運動と時間の本質は一つの「持続」であって、分割できるものではない。

仮に人間の「生」のありさまを映画かスマホの動画で撮影して映写すれば、その「生」の一部始終を再現することができるように見えるが、それは実は、映画なら1秒間24コマ、スマホなら1秒間60コマほどの静止画像の連写であって、人間の目の残像機能によって動画に見えるだけのことである。一瞬も途切れることのない実際のリアルな「生」とは、似ても似つかぬものであることはいうまでもない。

アインシュタインは、ベルクソン的な「生の時間の流れ」とは、あくまで「心理的な時間」であって、「客観的な時間」とは区別すべきだという。だが、ベルクソンにとっては、アインシュタイン流の多様な客観的時間こそ、結局、紙やフィルムやYouTubeの上に存在するにすぎない「数学的虚構」であって、ヴァーチャルな「空間化された時間」の断片だということになる。

ベルクソンは、ピュタゴラス、ユークリッドからガリレオ、ニュートンを経てアインシュタインにまで受け継がれてきた科学＝幾何学的思考法を批判して、本来分割できない「時間と運動を処理するためには、時間と運動からまずその本質的な要素を、つまり時間からは流動性を、運動からは運動性を、除外するという条件の下において取り扱うしかない」のだと断罪している。その結果、科学＝幾何学的思考法には、必然的に、人間のリアルな生との乖離・断絶という欠陥がつきまとわざるを得ないのではないか、と。

ベルクソンは敵視していたが実は同志だったゼノンは、時間や運動を分割して処理する科学的思考法の根底には、原理的に重大な錯誤が横たわっていることを警告し、「4つの逆理」を提示してその矛盾点を精緻に論証・告発した。それゆえ科学には、地球と人間の将来にとって、取り返しのつかない破局を招来する危険がつきまとってはいないかと暗示した。すなわち、今日、科学・技術文明の進歩が引き起こしている地球環境の汚染・破壊と、核兵器という暴虐なツールこそ、ゼノンが危惧したことの帰結ではないのか、という疑いを無視することはできないように思われる。

環境汚染と地球温暖化の進行に対して、スティーヴン・ホーキングは、安全でクリーンな「核融合発電」が実用化されたとき、「核融合は現実的なエネルギー源となって、汚染や地球温暖化なしに、消費しきれないほどのエネルギーを供給してくれるでしょう」との夢を語っているが、果たしてそれは間に合うのか。

環境活動家グレタ・トゥンベリの激越な言葉や、ゴッホのひまわりや「モナリザ」にトマトスープやケーキのクリームをぶちまけている活動家たちの過激な異議申し立ては、多くの支持を集めているとはいえない。が、それでも、大破局を予知した炭鉱のカナリアが断末魔の悲鳴を上げている姿を連想させる。事態は、たしかにそれほど切迫しているのだ。「科学・技術」が、エゴイズムから逃れられない人間の頭脳から生まれたシステムであり、その無謬性に疑問符がついた以上、全面的な信頼に値するツールといえるのかどうか。科学自体は中立的だとしても、人間のＤＮＡに内蔵されている利己性、さらに暴力性と結びついたとき、容易ならざることが進行する恐れがあろう。

科学と人間を切り離すことはできない。わたしたちは、原理的な欠陥を免れてはいない科学・技術と、今後どのように対して行ったらいいのか、深く問いつづけていかなければならないだろう。

利他的な行動は可能か

このように、人類の前途に多くの困難が待ち構えている危機的状況の中で、なお人間に希望をつなぐささやかな展望も示唆されてはいた。いわく、人間がエゴイズムから逃れるのは困難だが、その反面エゴイズムは人間の生きる力でもあると肯定した上で、利己的な本性にもかかわらず人間には、「思いやり」と「自己犠牲」を最高善とみなす気持ちが備わっている、という低声の励ましである。

その証しとして、東洋では仏教の開祖の釈迦は、前世で飢えた虎の親子を哀れみわが身を投げ与えた悉達太子（しったたいし）の生まれ変わりだとする「捨身飼虎」譚が例示され、西洋ではイエスは、人間が生まれながらに背負っている原罪＝邪欲をあがなうためにわが身を神にささげた救世主であるとするキリスト教の本義に言及された。はからずも、東西の二大宗教の教祖はともに、究極の最高善である「自己犠牲」をその身に体現した「理想」として人びとから仰がれてきたことに注意が促されている。

「自己犠牲」を究極の行いとする「思いやり」とは、別のことばでいえば「友愛」とか「博愛」に当たるのだろう。「友愛」は、イエスが熱心に説いた「隣人愛」にも相当しよう。かつてフランス革命が人類共通の理想として掲げた「自由・平等・友愛」の「友愛」である。「自由」は、フランス革命に先立つアメリカ合衆国建国の最高理念であるし、「平等」は、その後のソ連邦や中華人民共和国成立の基盤となった。しかし「友愛」は、どこからも顧みられることなく漂流したままだ。

「自由」と「平等」は、ともに至高の政治理念・正義の旗印には違いないが、「友愛」の裏打ちがなければ紛争の種にしかならないことは、二十世紀以降今日までの世界史が如実に示しているところだ。「友愛＝思いやり」を軽視し、ヒトの属性である度しがたい利己心に暴走をゆるせば、人類の行手は暗澹たるものとなろう。

見てきたように、人間は、老化すれば乗り捨てられる利己的遺伝子（ＤＮＡ）の乗り物である。遺伝子の利己主義は、必然的に動物の利己的行動を生み出す。ＤＮＡのおそるべき利己性を理論化したリチャード・ドーキンスは、その利己的行動の一例として、ユリカモメの場合を挙げている。

ユリカモメは大きなコロニーをつくって営巣するので、巣と巣はわずか数十センチしか離れていない。孵化したばかりの雛は小さくて無防備で、捕食者はいともたやすく餌食にすることができる。あるユリカモメの親は、隣のカモメが魚を取りに巣を離れるのを待って雛に襲いかかり、丸呑みにしてしまう。こうしてそのユリカモメは、魚を取りに行く手間を省くと同時に、栄養豊かな食物を手に入れることができる。この利己的な行動こそ、生物の常態なのである。

一方でドーキンスは、動物の示す利他的な行動の例として、働きバチが、襲ってきた敵と戦うために針を刺す行為をあげている。このハチは、刺すという行為の結果、生きるために必要な内臓を体外にもぎ取られ、すぐに死んでしまう。働きバチのこの自殺的行為は、仲間の命とコロニーの食物の貯えを守る一助になっただろうが、ハチ自身はその利益を受けることはできない。これぞ、利他的行動の最たるものといえるだろう。

さらに、動物の利他的行動のなかでもっとも一般的に見られるのが、親、とくに母親の子供に対する行動である、とドーキンスは言う。母親は巣の中か自分の体内で卵をかえし、多大な犠牲を払って子に食物を与え、大きな危険に身をさらして捕食者から子供を守る、として、一例を挙げている。

「多くの地上営巣性の鳥はキツネのような捕食者が近づいてきたときに、いわゆる《擬傷》ディスプレイをおこなう。親鳥は片方の翼が折れているかのしぐさで巣から離れるのである。捕食者は捕らえやすそうな獲物に気づいて、おびきよせられ、雛のいる巣から離れる。最後に親鳥はこのしばいをやめ、空中に舞い上がってキツネの顎から逃れる。この親鳥は多分自分の雛の生命を救ったのであろうが、そのために自分自身をかなりの危険にさらしている」と。

この親鳥が利他的な行動をしたことは疑いないが、時と場合によって親鳥は、発育の悪い小型の子供への給餌を中断してしまうことがある、という。発育の悪い子供を今後もさらに保護し給餌する労力＝投資の配分量を、順調に育っている他の兄弟姉妹に分配するほうが、母親のＤＮＡの拡大にとっては有利になるからだと説明される。

育ちそこねた子供の余命が、小型化、衰弱化によって短くなることが明らかになった時点で、その子は自ら名誉ある死を選び、自分の体を同じ巣の中の兄弟姉妹や親たちに食べさせたほうが、彼自身と母親は、自分たちの遺伝子の拡大に最も効率的に貢献できると考えることが可能だ。

ドーキンスは、子育てにいかなる犠牲を惜しまない母親でさえ、利己的な遺伝子が内蔵された生存機械だと考えている。この機械の内部には、遺伝子が制御者として乗り込んでいて、その遺伝子のコピーを最も効率よく増殖させるべく、あらゆる努力を払うようにプログラムされている。こうした例からもうかがえるように、一見利他的にみえる行為も、よく調べてみると、じつは姿を変えた利己的行動であることが多い。

愛らしいツバメの雛について、ドーキンスが報告しているのは、早く孵った雛が同じ巣の中のまだ孵ってない卵の下にもぐりこみ、小さい羽根で背負うと、巣の外へ放り出すという行為の観察記録である。これはカッコウの托卵実験中にたまたま観察されたことではあるが、とことわったうえでドーキンスは、「恐ろしい話ではあろうが、ツバメの雛の相互間には、次のような関係があるのかもしれない」として、以下のように追記している。

「最初に生まれた雛は、次に孵化してくる弟妹たちと、親による保護投資をめぐってやがて競争することになる。それならば、彼はその生涯の初仕事として、まず他の卵を一つ巣から放り出しておいたほうが得だということになるのかもしれないのだ。遺伝子の言葉に翻訳すると、兄弟殺しをうながす遺伝子が遺伝子プールの中に拡がりうる理由は、ここにあるのである」と。

生物の体の中に内蔵されているＤＮＡの利己主義が、それほど容赦のない、かつ暴力的なものだとしたら、私たちは本当に遺伝子の支配から自立し、利他的に振る舞うことなどできるのだろうか。私たちが利己的なＤＮＡの生存機械である以上、何かの行動を選択するとき、「友愛」をもって利他的な行動を選択する余地など、原理的にはありえないように思われる。

だが、それにもかかわらずドーキンスは、その主著『生物＝生存機械論』（のちに改題して『利己的な遺伝子』）を閉じるにあたって、「人間には、意識的な先見能力という一つの独自な特性がある」が、意識をもたない利己的遺伝子は、「盲目の自己複製子」にすぎない、と特記している。

その結果、個々の人間は利己的存在だとしても、「われわれの意識的な先見能力――想像力を駆使して将来の事態を先取りする能力――には、盲目の自己複製子たちの最悪の利己的暴挙から、われわれを救い出す能力がある」と切言している。だから私たちは、子供に利他主義を教え込まねばならない、と提言し、「われわれは、子供に寛大さと利他主義を教えることを試みてみようではないか」と呼びかけている。

教育が重要なのは、遺伝的に受け継がれていく特性が、固定した変更のきかないものだと考えることが誤りだからだ、とドーキンスは言う。私たちの遺伝子は、私たちに利己的に振る舞うよう指図するが、私たちは必ずしも一生涯遺伝子に従うよう強制されているわけではない、とも。

さらに、人間には、単なる目先の利己的利益より、むしろ長期的な利益のほうを促進させようとする知的能力がある。「われわれは、同じテーブルに座って、その共同行動を実行する方法を話し合うこともできるはずだ」と付記している。

「私たちには、私たちを産み出した利己的遺伝子に反抗する力がある」と確言した上で、純粋で私欲のない利他主義は、自然界にはかつて存在したためしはないが、しかし「私たちは、それを計画的に育成し、教育する方法を論じることさえできる」と、自他に言い聞かせるように力をこめて説いている。

人間は利己的な遺伝子の生存機械として組み立てられてはいるが、自分たちを創造した者に刃向かう能力を持っている。「この地上で、唯一われわれだけが、利己的な自己複製子たちの専制支配に反逆できるのである」と宣言して、この稀有の著作を閉じている。

最先端の学知が、「思いやり」「思いやり＝友愛」という利他の心を育んでいくことが重要だ、と教えている。「思いやり」とは「他人に対して人間的であるということ」だ、と福田恆存は語っていた。DNAの暴力的な支配に抗して、利他の心を養うものこそ、「ホモ・ロクエンス」としてのわたしたちの「コトバの力」のほかにはないであろう。「コトバ」が諸刃の剣であるとしても。

参考文献

1

日高敏隆『動物にとって社会とはなにか』(一九六六年　至誠堂→一九七七年　講談社学術文庫)
コンラート・ローレンツ／日高敏隆訳『ソロモンの指環　動物行動学入門』(一九七三年　早川書房)
コンラート・ローレンツ／日高敏隆ほか訳『攻撃　悪の自然誌』1・2(一九七〇年　みすず書房)
杉山幸丸『子殺しの行動学　霊長類社会の維持機構をさぐる』(一九八〇年　北斗出版→一九九三年　講談社学術文庫)
リチャード・ドーキンス／日高敏隆ほか訳『生物＝生存機械論　利己主義と利他主義の生物学』(のち『利己的な遺伝子』と改題　一九八〇年　紀伊国屋書店)

2

福田恆存「処世術から宗教まで」(一九七六年～七七年　講演　三百人劇場)
福田恆存「平和論の進め方についての疑問　どう覚悟を決めたらいいか」(『平和論にたいする疑問』所収　一九五五年　文藝春秋新社)
福田恆存「アメリカを孤立させるな　ヴィエトナム問題をめぐって」(『平和の理念』所収　一九六五年　新潮社)
福田恆存『幸福への手帖』(一九五六年　新潮社　→のち『私の幸福論』と改題　一九九八年　ちくま文庫)
D・H・ロレンス／福田恆存訳『現代人は愛しうるか　アポカリプス論』(一九六五年　筑摩書房→一九八二年　中公文庫)
福田恆存「一匹と九十九匹と　ひとつの反時代的考察」(『近代の宿命』所収　一九四七年　東西文庫)
福田恆存「近代の宿命」(『近代の宿命』所収　一九四七年　東西文庫)

ガリレオ・ガリレイ／山田慶児・谷泰訳「偽金鑑識官」（『世界の名著 21 ガリレオ』所収 一九七三年 中央公論社）
福田逸『父・福田恆存』（二〇一七年 文藝春秋）
福田恆存『福田恆存全集』全八巻（一九八七〜八八年 文藝春秋）

3

井筒俊彦『神秘哲学』第一・二部（一九七八・八三年 人文書院）
井筒俊彦『意味の深みへ 東洋哲学の水位』（一九八五年 岩波書店）
井筒俊彦『超越のことば イスラーム・ユダヤ哲学における神と人』（一九九一年 岩波書店）
井筒俊彦『コスモスとアンチコスモス 東洋哲学のために』（一九八九年 岩波書店）
井筒俊彦『意識と本質 精神的東洋を索めて』（一九八三年 岩波書店→一九九一年 岩波文庫）
井筒俊彦『マホメット』（一九五二年 弘文堂アテネ文庫→一九八九年 講談社学術文庫）
井筒俊彦「マホメット」（世界史講座第5「西亜世界史」所収 一九四四年 弘文堂書房）
井筒俊彦「井筒俊彦著作集」全一二巻（一九九一〜九三年 中央公論社）
丸山圭三郎『ソシュールの思想』（一九八一年 岩波書店）
丸山圭三郎『文化のフェティシズム』（一九八四年 勁草書房）
丸山圭三郎『カオスモスの運動』（一九九一年 講談社学術文庫）

4

平井啓之『ランボオからサルトルへ フランス象徴主義の時代』（一九六八年 青土社→一九八九年 講談社学術文庫）
平井啓之・村田全・山川偉也「平井啓之教授退職記念 鼎談・エレアのゼノン、その光と影─西欧思想史上のゼノ

ン―』(一九九二年　桃山学院大学　人間科学』)
アンリ・ベルクソン/平井啓之訳『時間と自由』(一九九〇年　白水社→二〇〇九年　白水uブックス)
アンリ・ベルクソン/真方敬道訳『創造的進化』(一九七九年　岩波文庫)
アンリ・ベルクソン/花田圭介・加藤精司共訳「持続と同時性」(『ベルクソン全集3』所収　一九六五年　白水社)
山川偉也『古代ギリシアの思想』(一九九三年　講談社学術文庫)
山川偉也『ゼノン　4つの逆理　アキレスはなぜ亀に追いつけないか』(一九九六年　講談社→二〇一七年　講談社学術文庫)
山川偉也『ギリシア思想のオデュッセイア』(二〇一〇年　世界思想社)
柄谷行人「哲学の起源」(『新潮』二〇一一年七~一二月号〈新潮社〉　のち単行本『哲学の起源』(二〇一二年　岩波書店)

5

スティーヴン・ホーキング/林一訳『ホーキング、宇宙を語る　ビッグバンからブラックホールまで』(一九八九年　早川書房)
スティーヴン・ホーキング/青木薫訳『ビッグ・クエスチョン〈人類の難問〉に答えよう』(二〇一九年　NHK出版)
石原慎太郎『「私」という男の生涯』(二〇二二年　幻冬舎)
レイ・カーツワイル/NHK出版編集『シンギュラリティは近い』(二〇一六年　NHK出版)

エピローグ

リチャード・ドーキンス　前掲書

あとがき　三十年ぶりの答案用紙

二十世紀が終わろうとするころ、わたしは、世界的な哲学者の井筒俊彦さんの編集担当をするなかで、「現代思想の冒険者たち」という全三十一巻の思想全集を構想した。会議に諮る企画書をまとめようとしていたある日、社の図書館でたまたま手に取ったゴーギャンの画集の中の、謎めいた一枚の群像画が目に止まった。

解説を読んでみると、「**われわれはどこから来たのか　われわれは何者か　われわれはどこへ行くのか**」と題された、ゴーギャン最晩年の遺作だということだった。わたしはこの不可思議なタイトルに強く惹きつけられると同時に、「現代思想の冒険者たち」の基本コンセプトはこれだと直感した。そして、宣伝用冊子の「刊行のことば」に引用して掲げた。

この題名は、のちにゴーギャンの制作意図から離れて独り歩きし、諸方でたびたび言及されるようになった。さまざまな文学・芸術シーンやＣＭ映像にまで引用された。この奇妙な問いかけが、人間の生にとどまらず、壮大な宇宙の中における地球と人類の、危機をはらんだ運命を予感させる響きを放っていたからであろう。単なる絵の題ではなく、哲学的な深さと魅力をたたえた根源的な問いと感じられた。

編集現場から引退したあとも、わたしは折に触れてこの題名を思い浮かべることはあった。が、いつしか時の経過とともにフェードアウトしていった。だが今回、本書を再編集・加筆しているうちに、思いがけず胸中にこの問いが甦ってくるのを感じた。日々深刻の度を増す地球の環境破壊や、核の使用や第三次世界大戦への拡大までもが危惧されるウクライナ戦争の報道に接しながら、さまざまな哲学者や科学者の言説と学知をたどっているうちに、心の底に沈んでいたこのラディカルな問いが解発され、意識の表層に浮かび上がってきたようだった。

改めて振り返ってみると、古い記憶をたどりながら書きついできた本書の記述自体が、三十年前に出会ったあの不可思議で壮大な問いへの、自分なりの答案になっているような気がしてきたのだった。

わたしは本書で、スティーヴン・ホーキングの宇宙物理学の研究成果に学びながら、宇宙と人類の始まりについての学説を紹介した。また、杉山幸丸とリチャード・ドーキンスのフィールドワークと理論を引用しながら、ヒトとは、そのＤＮＡの内に利己的な遺伝子を内蔵した、端倪すべからざる存在であることに改めて思い至った。

人間とは、宇宙の銀河系の塵から生まれ、いずれはまたそこへ帰って行く存在であり、その本性は利己的であるという。しかし、コトバという天与の能力をもっていることによって、本性に逆らうことができる。ＤＮＡの専制支配を脱して、思いやり＝友愛という利他的な行動をとることができ、すなわち、人間とは、自らの未来の運命を自分で決めることのできる存在だというのであった。

わたしがたどり着いたそれらの言説に妥当性があるのかどうかはわからない。またそれが、ゴーギャンの問いへの答えになっているのかどうかもわからない。さらに「**われわれはどこから来たのか　われわれは何者か　われわれはどこへ行くのか**」というような幽邃（ゆうすい）な哲学的問いに、生々しい具体的な回答をほどこすなどとは、野暮の極み、僭越のそしりを免れないだろうとも思う。このように荘重な永遠の問いに対しては、読者ひとりひとりの個別の思索と探究にゆだねるべきだとたしなめる声も聞こえる。

そのとおりだと同意しつつも、筆を止めることはできなかった。興味深い問いがあれば、その答えを見つけようとするのが、編集者の自然な生業（なりわい）だからであろうか。あるいは、読むこと・書くことは、「コトバをもつヒト」の本能的な性（さが）だからであろうか。

答えの出ない自問を繰り返しながら、闇筆するに当たって蛇足を付け加えれば、本書は、晩年に差し掛かった一人の編集者が、三十年前にたまたまめぐり会った不可思議な問いについて貧しい探索を重ねたあげく、ようやく書き上げた遅ればせの答案用紙ということになろうか。

時間切れになる前に提出できたことにほっとしている。

最後に、本書の刊行にさいして、格別のご配慮をいただいた花伝社の平田勝社長と、編集の過程で行き届いたお世話をしてくださった編集者の大澤茉実さんに深く感謝いたします。

宇田川眞人（うだがわ・まさと）
1944年東京生まれ。早大政経卒。1969年講談社に入社、学術書・全集・辞典の編集に従事。退職後、編集者・文筆業。著書に『日本に碩学がいたころ――丈高く柄の大きな学問のために』（三恵社）、『風と雲のことば辞典』（共編著）、『花のことば辞典』（以上２冊は講談社学術文庫）、『雪月花のことば辞典』（編著　角川ソフィア文庫）。編集書に『雨のことば辞典』（講談社学術文庫）。

科学は無謬か――「コトバをもつヒト」をめぐる根源的な問い

2023年8月25日　　初版第１刷発行

著者 ――宇田川眞人
発行者 ―平田　勝
発行 ――花伝社
発売 ――共栄書房
〒101-0065　東京都千代田区西神田2-5-11出版輸送ビル2F
電話　03-3263-3813
FAX　03-3239-8272
E-mail　info@kadensha.net
URL　https://www.kadensha.net
振替 ――00140-6-59661
装幀 ――北田雄一郎
印刷・製本―中央精版印刷株式会社

ISBN978-4-7634-2078-7 C0010